病態生理の基礎知識から学べる

循環器治療薬パーフェクトガイド

第2版

古川 哲史　東京医科歯科大学 難治疾患研究所 教授

総合医学社

第2版のまえがき

　最近は脳死という言葉も使われますが，普通は心臓死をもって人の死と考えます．つまり心臓の薬は，一歩使い方を間違えば死につながる恐ろしいものなのです．研修医やナースの皆さんは，そんな怖い薬を，ドクターに言われたから，オーベン（指導医）に言われたから，という理由だけで患者さんに渡していませんか？　循環器が専門でないドクターは，薬の添付文書に「適応は不整脈」って書いてあるから，という理由で，不整脈の患者さんに薬を処方していませんか？　実は，不整脈を治療する薬，つまり抗不整脈薬が，かえって命に関わる不整脈（＝致死性不整脈）を誘発するケースもあります．それなのに，患者さんが不整脈というだけで，「適応が不整脈」の薬をやみくもに処方するのは，恐ろしくありませんか？

　私は4年間米国に留学した経験があります．留学するまで語学学校に通い，NHKラジオ英会話も毎日欠かさず聴いて自分なりに準備していったのに，留学先のマイアミ空港に降り立ったら空港のネイティブスピードで話されるアナウンスが一言もわからず，不安のどん底に突き落とされました．その時，周囲で起きていることがわからないことほど不安なことはない，と強く感じました．

　同じように，どうして効くのかわからずに薬を使うのは，気持ちが悪いものです．心不全のAという病態にはaという薬，狭心症のBという病態にはbという薬，という丸暗記で診療を行っている人もいるかもしれませんが，私はaという薬，bという薬を使うのは，こういう作用だから，このような病態に効くんだという理由・根拠を，研修医，非循環器医，ナースの方々に知っていただきたいと思っています．

　そのような思いで講義を研修医，非循環器医，ナースにすると，「明日からの臨床現場ですぐに役に立つ話が聴きたかったのに」という不満の声が必ずといって良いほど聞かれます．たしかに，研修医もナースも初期の段階ではすぐに役立つ知識が必要でしょう．そのようなニーズに応えるテキストは本屋にごまんと並んでいます．いずれも，「ウーン」と唸りたくなるような良書ぞろいなので，そちらをご覧ください．ところが，研修医もナースもある程度日常診療がこなせるようになると，次のレベルにステップアップしたいと考える方が多くいらっしゃいます．それにはなぜその薬が効くのか，という理屈が必要なのですが，このニーズに応える本が驚くほどありません．本書はそのようなニーズにこたえるレアな本です．

　この改訂版は，2020年の新型コロナウイルスパンデミックの真っただ中で書かせていただいています．新型コロナウイルス感染は，感染患者の一部が重症化することが大きな問題です．どんな人が重症化するのか，いろいろ調査が行われています．その1つのゲノム解析からは，血液型遺伝子ABOが重症化に関係しそうだというデータが得られています．「なんで血液型が？」と思われる人も多いでしょう．新型コロナウイルス感染は，血栓症の合併が重症化の大きな要因となりますが，血液型を決めるABO遺伝子の産物は，血液型以外に血管壁にある凝固因子の寿命にも関わりがあります．そのため，血液型が血栓症合併リスクと関係があるのです．このように，「アレッ，どうして？」「意外？」と思われることの多くに科学的な根拠があり，それが分か

ると，ややもすると単調になりがちな毎日の診療も，楽しく豊かなものになることでしょう．本書は，循環器薬が効く科学的な根拠を研修医，非循環器医，ナースの皆さんにもわかるように解説することをモットーとしました．「ANPの心保護作用って何？」「スタチンを使うとどうして筋肉障害が起きるの？」「利尿薬を使うとどうして尿酸値が上がるの？」などの皆さんが日常診療で遭遇する疑問，「高血圧の薬を飲んでいるとグレープフルーツは食べちゃダメなんですよね？」「ドクターが血をサラサラにする薬ですよ，と言って主人にはアスピリン，私にはワルファリンを出すけど，どうしてですか？　男女の違いですか？」など，患者さんからしばしば受ける質問の答えを見つけるテキストにしていただけたらと思います．

　本書の第1版を出版してから約5年がたちました．この間に新しく上梓された循環器薬もいくつかあります．心不全に対するSGLT2阻害薬，ペースメーカチャネル阻害薬などです．また，薬物作用のエビデンスが積み重なり，使い方が変わった薬もあります．様々な疾患治療のガイドラインは，だいたい5年ごとに改定されています．どうも「5年」という期間は，新しく情報を見直すのにちょうどよいタイミングのようです．実際，高血圧治療のガイドラインも2019年に新しくなり，最初にチョイスする薬物が2014年のガイドラインよりかなり明確になりました．そこで，これらの新しい情報を加えた第2版を出版させていただくことにしました．

　（ちなみに先のマイアミ空港での体験談にはオチがあります．マイアミはスペイン語人口が一番多く，公用語が英語とスペイン語になっています．このため，空港などの公共の場では英語放送とともにスペイン語放送が流れます．全くわからなかった理由はスペイン語だったからなんです）

2020年9月

東京医科歯科大学難治疾患研究所
古川　哲史

contents

Chapter 1　心不全

1. 心不全とは……3
　従来の心不全治療法と最近の心不全治療法……3
　生体の適応現象……5

2. 心不全薬の種類と使い方……10
　強心薬……10
　　理解を深めるためのステップアップ①—薬の作用機序……11
　ホスホジエステラーゼ阻害薬……14
　　理解を深めるためのステップアップ②—薬の作用機序……14
　利尿薬……15
　　理解を深めるためのステップアップ③—薬の作用機序……16
　レニン・アンジオテンシン・アルドステロン系に作用する薬……19
　　理解を深めるためのステップアップ④—薬の作用機序……20
　交感神経β受容体遮断薬（βブロッカー）……22
　　理解を深めるためのステップアップ⑤—薬の作用機序……23
　血管拡張薬：硝酸薬とANP……24
　　理解を深めるためのステップアップ⑥—薬の作用機序……24
　その他の心不全治療薬……26

3. 心不全の治療……28
　急性心不全の治療……28
　慢性心不全の治療……30
　薬剤選択のヒント……32

Chapter 2　高血圧

1. 高血圧とは……37
　血圧の調節機構……37

2. 降圧薬の種類と使い方 ……………………………………………………41
- Ca拮抗薬 ……………………………………………………………41
  - 理解を深めるためのステップアップ①―薬の作用機序 …………43
- ACE阻害薬・ARB ……………………………………………………43
  - 理解を深めるためのステップアップ②―薬の作用機序 …………45
- 利尿薬 ………………………………………………………………45
  - 理解を深めるためのステップアップ③―薬の作用機序 …………46
- 交感神経系に作用する降圧薬 ………………………………………47
  - 理解を深めるためのステップアップ④―薬の作用機序 …………49

3. 高血圧の治療 ……………………………………………………………51
- 高血圧治療のキホン …………………………………………………51
- 薬剤選択のステップ① ………………………………………………52
- 薬剤選択のステップ② ………………………………………………53
- 降圧薬の併用 …………………………………………………………55

Chapter3 虚血性心疾患

1. 虚血性心疾患とは ………………………………………………………59
- 虚血性心疾患の分類の変化 …………………………………………59
- 慢性冠動脈疾患の病態生理 …………………………………………59
- 急性冠症候群の病態生理 ……………………………………………62

2. 慢性冠動脈疾患で用いる薬剤の種類と使い方・治療 ………………64
- 硝酸薬 …………………………………………………………………65
  - 理解を深めるためのステップアップ①―薬の作用機序 …………65

3. 急性冠症候群で用いる薬剤の種類と使い方・治療 …………………68
- 脂質代謝 ………………………………………………………………68
- 脂質異常症の薬物治療 ………………………………………………71
- スタチン ………………………………………………………………71
  - 理解を深めるためのステップアップ②―薬の作用機序 …………72
- スタチン以外の脂質異常症治療薬 …………………………………73
  - 理解を深めるためのステップアップ③―薬の作用機序 …………74

CETP 阻害薬··74
　　理解を深めるためのステップアップ④―薬の作用機序················74
PCSK9 阻害薬···75
　　理解を深めるためのステップアップ⑤―薬の作用機序················75
その他の脂質異常症治療薬··77
抗炎症・抗酸化治療···77
薬剤選択のヒント··79

Chapter4 不整脈

1．不整脈とは··83
心臓のイオンチャネル··83
不整脈のメカニズム··88

2．抗不整脈薬の種類と使い方···92
抗不整脈薬··92
　　理解を深めるためのステップアップ―薬の作用機序··················94

3．不整脈の治療··97
頻脈性不整脈の鑑別診断···97
期外収縮···101
房室結節リエントリー性頻拍と房室回帰性頻拍·······················103
心房細動···104
心房粗動···107
心室頻拍···108
薬剤選択のヒント···109

Chapter5 血栓症

1．血栓症とは··115
凝固系··115
2 つの血栓··117

2. 血栓症治療薬の種類と使い方 ……………………………………………… 119
  抗血小板薬 …………………………………………………………………… 119
    理解を深めるためのステップアップ①—薬の作用機序 ………………… 120
  抗凝固薬 ……………………………………………………………………… 123
    理解を深めるためのステップアップ②—薬の作用機序 ………………… 124

3. 血栓症の治療 ………………………………………………………………… 128
  心房細動の心原性脳塞栓予防 ………………………………………………… 128
  急性心筋梗塞の治療 …………………………………………………………… 130
  肺血栓塞栓症の治療 …………………………………………………………… 130
  閉塞性動脈硬化症の治療 ……………………………………………………… 133
  薬剤選択のヒント ……………………………………………………………… 133

索引 …………………………………………………………………………………… 135

● Column
- 拡張障害を示す心エコー所見 …………………………………………………… 4
- ループ利尿薬がダウン症候群の知的障害を改善する ………………………… 17
- 心不全にはなぜカルベジロールか？ …………………………………………… 23
- 心不全の生命予後に関する因子 ………………………………………………… 27
- 心不全の初期サインとしての左房負荷 ………………………………………… 33
- HFrEF と HFpEF ………………………………………………………………… 34
- 身をもって実感した食塩感受性 ………………………………………………… 46
- ICU 勤務・サッカーワールドカップ観戦も心筋梗塞の危険因子 …………… 63
- 酒飲みとニトログリセリンの感受性の関係 …………………………………… 67
- コレステロール値は遺伝性が強い ……………………………………………… 69
- エゼチミブがワルファリン作用を増強 ………………………………………… 74
- 機能不全 HDL（dysfunctional HDL）…………………………………………… 75
- 心筋梗塞を規定する意外な遺伝的背景 ………………………………………… 76
- パーソナルダイエット …………………………………………………………… 77
- CAST はミス CAST？ …………………………………………………………… 96
- 絵本では「ウォーリーを探せ」，心電図では「P 波を探せ」………………… 100
- 「私は小児じゃないのに」「私は頭痛でかかったんじゃないのに」………… 122
- 「先生，どこにもぶつけた覚えがないのに内出血しました」………………… 127
- 抗凝固薬による大出血は医師にとっての PTSD ……………………………… 130
- 医療分野でも活躍する「折り紙理論」がすごい！…………………………… 132

Chapter1
心不全

1 心不全とは

　心不全はいったん入院すると，5年生存率ががんの平均よりも悪いというショッキングなデータがあり（図1），その治療の改善が強く望まれています．

　心不全は，心臓が十分機能しない病態の総称です．心臓の収縮機能が障害されると，低心拍出量による息切れ・易疲労感などの症状を呈します．拡張機能が障害されると，心臓より上流にある臓器の浮腫（うっ血）が起こり，左心系の拡張障害では肺水腫による呼吸困難，右心系では消化管浮腫による食思不振・膨満感などの症状を呈します．

従来の心不全治療法と最近の心不全治療法

　従来の心不全治療は，これらの症状の改善を目指して行うのが主流でした（図2左）．低心拍出量に対しては強心薬（ジギタリス，交感神経刺激薬など），浮腫に対しては利尿薬を投与します．心機能が低下すると，生体にはこれを改善しようとする循環動態の変化が起こります．強心薬，利尿薬による治療を続けると，この循環動態の変化が過剰となる悪循環が生じ，短期症状は改善するものの長期生命予後はかえって悪化することがわかってきました．

　そこで，今では交感神経βブロッカーやアンジオテンシンIIに作用するアンジオテンシン変換酵素（ACE）阻害薬や1型アンジオテンシンII受容

> **知っておきたい用語**
> ・アンジオテンシン変換酵素（ACE）阻害薬
> ・1型アンジオテンシンII受容体拮抗薬（ARB）

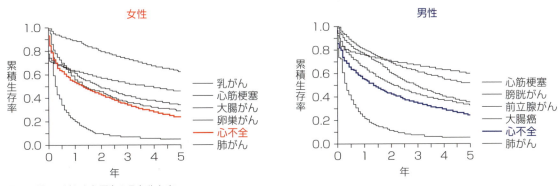

図1　種々のがんと心不全の5年生存率
〔Stewart S, et al：More 'malignant' than cancer? Five-year survival following a first admission for heart failure. Eur J Heart Fail 3(3)：315-322, 2001〕

体拮抗薬（ARB）を用いて循環動態の悪循環を断つことが治療の主体となってきています（図2右）．

前者の症状をターゲットとする治療法は急性心不全では今でも中心であり，従来の治療法は急性心不全の治療法，最近の治療法は慢性心不全の治

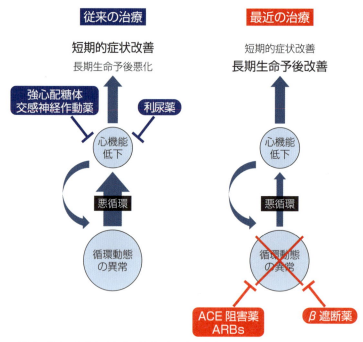

図2　従来の心不全治療法と最近の心不全治療法

知っておきたい用語
・左室駆出率（EF）

Column：拡張障害を示す心エコー所見

心不全には，収縮不全と拡張不全があります．収縮不全は，心エコーでは主に左室駆出率（EF）の低下で診断することは広く知られていますが，拡張不全はどのような所見から診断するのでしょう？　拡張不全は心不全の初期段階としてとても重要な所見です．図1にあるように，心不全は一度入院すると予後は極めて悪いので，初期段階から治療することが肝要です．初期段階を示す拡張不全の心エコー所見はぜひ読めるようにしておきましょう．

拡張不全は僧帽弁がみえるMモードでみていきます（図a）．僧帽弁の開口には2つのピークがあり，最初のピーク（E波）は左室の拡張による左房から左室への血液の流入を反映し，2つめのピーク（A波）は左房収縮による血液の流入を反映します．通常は，左室の拡張による血液の流入のほうが多く，E/Aは正常値が1〜5になります．E/Aが＜1のとき，すなわちA波のほうが高くなっているときは拡張障害が疑われます．

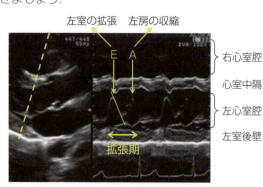

図a　左室拡張不全の心エコー所見

療法とも捉えることができます．

生体の適応現象

それでは，心不全治療の重要なターゲットとなりつつある心機能低下に伴う循環動態の変化を勉強しましょう．治療から離れても，心機能が低下したとき，私たちの身体がどのように応答するのかは，医療にかかわる者としてはぜひ知っておきたいところですね．次の4つに分けて説明しましょう．
　①フランク・スターリングの法則
　②レニン・アンジオテンシン・アルドステロン（RAA）システム
　③交感神経系
　④水分調節

知っておきたい用語
・フランク・スターリングの法則
・レニン・アンジオテンシン・アルドステロン（RAA）システム
・交感神経系
・水分調節

■フランク・スターリングの法則

フランク・スターリングの法則の核となるフランク・スターリング曲線は，横軸に左室拡張末期圧，縦軸に1回心拍出量をとり両者の関係をみたものです（図3）．心不全の治療を考えるうえではしばしば使われるグラフで，皆さんも一度は目にしたことがあるのではないでしょうか？　左室拡張末期圧が増加すると，ある程度までであれば（＝上行脚にあるうち），それに伴って1回心拍出量が増えることを意味しています．このように書くとわかりにくいですが，ぶっちゃけて言うと「心臓にいっぱい血液がたまるほど，いっぱい送り出すことができますよ」ということです．心機能が低下し1回心拍出量が低下すると，生体は循環血液量を増やしたり，これで間に合わないときは末梢血管を収縮させたりして，より心臓への静脈血還流を増やして，1回心拍出量を増やそうとする防御反応が働くのです．

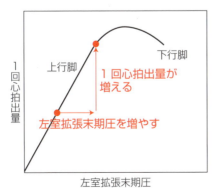

図3　フランク・スターリング曲線

■レニン・アンジオテンシン・アルドステロン系

　心機能低下時に心臓への静脈血還流を増やすメカニズムとして，神経液性因子が重要です．神経因子は主に交感神経系が重要ですが，液性因子ではレニン・アンジオテンシン・アルドステロン系が中心となります．図4はレニン・アンジオテンシン・アルドステロン系の概要を示します．
　肝臓でつくられたアンジオテンシノーゲンが，腎臓から分泌されるレニンによって切断されアンジオテンシンⅠとなります．アンジオテンシンⅠ自身は生理活性をもちません．アンジオテンシンⅠがアンジオテンシン変換酵素（Angiotensin Converting Enzyme：ACE）によってさらに切断されアンジオテンシンⅡとなり，生理活性をもつようになります．アンジオテンシン変換酵素は主に血管内皮細胞に存在しますが，なかでも肺血管の内皮細胞での発現が多く，アンジオテンシンⅠが肺循環を経るとアンジオテンシンⅡとなります．ACEと相同体のACE2という分子があります．ACE2は，ACEの作用を抑制しますが，最近では新型コロナウイルスの受容体であることが分かったことから，注目されています．アンジオテンシンⅡの主な作用は4つあります．

①血管収縮
②副腎皮質からのアルドステロン分泌を介する塩・水分の再吸収
③交感神経終末からのノルアドレナリンの分泌
④線維芽細胞に作用して線維化の惹起

　これらはアンジオテンシンⅡがその受容体に結合することにより引き起こされます．アンジオテンシンⅡの受容体には2つあります．1型アンジオテンシンⅡ受容体（AT-1受容体と呼ばれます）と2型アンジオテンシンⅡ受容体（AT-2受容体と呼ばれます）です．アンジオテンシンⅡの主な作用はAT-1受容体を介して行われ，AT-2受容体はAT-1受容体の作

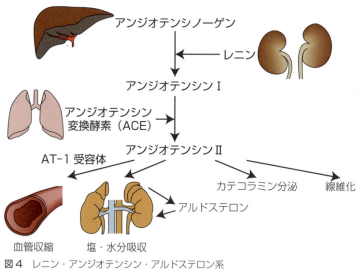

図4　レニン・アンジオテンシン・アルドステロン系

用に拮抗することでアンジオテンシンIIの作用が過剰とならないようにブレーキをかける役目を果たしています．<mark>アンジオテンシンにIとII，アンジオテンシンII受容体に1型と2型があるので混同しないようにしましょう．</mark>アンジオテンシンIは生理活性がないのでその受容体はありません．AT-1受容体・AT-2受容体はいずれも生理活性をもつアンジオテンシンIIに対する受容体です．

　それでは，この心不全で極めて重要となるレニン・アンジオテンシン・アルドステロン系が働き始めるそもそものきっかけは何でしょう？　筆者は，理論的には3つの可能性が考えられると思っています．アンジオテンシノーゲンの合成，レニンによるアンジオテンシノーゲンの分解，ACEによるアンジオテンシンIのアンジオテンシンIIへの変換です．このうち<mark>実際にはどれがトリガーになっているのでしょう？　これは，2番目のレニンによるアンジオテンシノーゲンの分解です．</mark>

　それでは，レニンがどのようにして分泌されるかがそもそものきっかけとなります．レニンは腎臓の「傍糸球体装置（juxta-glomerular apparatus）」と呼ばれる領域の細胞から分泌されます．傍糸球体装置は「名前だけは知っている」という人，「何それ？」という人，さまざまかと思います．腎臓の単位ネフロンでは，図5左のように糸球体と遠位尿細管はほぼ同じ高さレベルにあり，両者の間にある組織が傍糸球体装置です．同部位の細胞からレニンが分泌されるには3つの機構があります（図5右）．1つは糸球体圧の低下です．心拍出量が低下すると腎血液が減少し糸球体圧が低下します．これによってレニンが分泌されます．2つめは，交感神経興奮によりノルアドレナリンが傍糸球体細胞の交感神経β受容体に結合するとレニンが分泌されます．3つめは，遠位尿細管でのNa再吸収の低下です．Na再吸収が減るとNaが体内に足らないと判断してレニンを分泌してNa再吸収を増やそうとするのです．

知っておきたい用語

- 傍糸球体装置（juxta-glomerular apparatus）

MEMO

レニン分泌のシグナル
- 糸球体圧の低下
- 交感神経緊張
- 遠位尿細管でのNa再吸収量低下

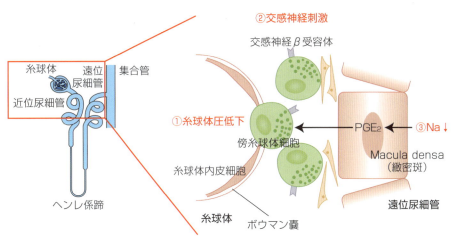

図5　レニン分泌の3つのシグナル

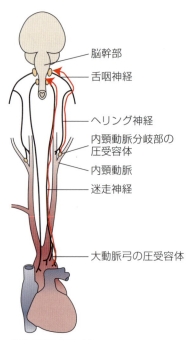

図6　圧受容体反射

■交感神経系

　心拍出量が減少すると動脈内の圧が低下します．動脈には圧の変化を感知する「圧受容体」が2つあります．1つは大動脈弓にあり，もう1つは内頸動脈の分岐部に位置します（図6）．大動脈弓の圧受容体は迷走神経を介して，内頸動脈分岐部の圧受容体は舌咽神経を介してシグナルを脳幹に伝え，交感神経から神経伝達物質のノルアドレナリンが分泌されます．ノルアドレナリンは心臓の収縮力と心拍数を増加することで心拍出量を増加する作用をもち，また「生体の適応現象」で説明したように腎臓からレニンの分泌を促進する作用があります．このような心拍出量低下を交感神経活性に結びつける応答を「圧受容体反射」と呼びます．

■水分の調節

　水分を調節する機構には，「生体の適応現象」であげたレニン・アンジオテンシン・アルドステロン系，交感神経系を含めて次の4つがあります．
　①レニン・アンジオテンシン・アルドステロン系
　②交感神経系
　③抗利尿ホルモン（バゾプレッシン）
　④ナトリウム（Na）利尿ホルモン（ANP，BNP，CNP）
　このうち①〜③は水分を体内に保持するシステムであり，④が唯一水分を排泄するシステムです．①と②はすでに説明したので，③と④について説明しましょう．

1. 抗利尿ホルモン（バゾプレッシン）（図7）

<mark>抗利尿ホルモン（バゾプレッシン）は，正常の浸透圧を維持する仕組みです．</mark>浸透圧のセンサーは視床下部にあります．そこで浸透圧が上昇すると水分が足らないと判断して，視床下部から下垂体後葉にシグナルが送られ，下垂体後葉からバゾプレッシンが分泌されます．バゾプレッシンは腎臓集合管のV_2受容体に作用して水チャネル（アクアポリン）を介する水の再吸収を促進します．これによって，浸透圧を正常の276～292mOsm/kgに戻します．水分再吸収にかかわるシステムのなかで，唯一Na再吸収とカップリングしないシステムです．

2. Na利尿ホルモン（ANP, BNP, CNP）

Na利尿ホルモンには3種類，ANP，BNP，CNPがあります．ANPは心房に発現することから，Atrial Natriuretic Peptide（ANP）と名づけられました．BNPは最初脳から発見されBrain Natriuretic Peptide（BNP）と名づけられましたが，後に心室に豊富に発現することがわかり，今ではB-type Natriuretic Peptide（BNP）と捉えられています．CNPは血管内皮細胞に発現しますが，最初からENP（Endothelial Natriuretic Peptide）ではなくC-type Natriuretic Peptide（CNP）と名づけられました．

心臓や血管が伸展されると，循環血液量が多すぎると判断してこれらが分泌されます．いずれもproANP，proBNP，proCNPとして分泌され，循環血液中で分解され活性型のANP，BNP，CNPとなります．BNPは心不全のバイオマーカーとして使われますが，proBNPの切れっぱしのNT-proBNPのほうが安定で半減期がBNPの20分に対してNT-proBNPは120分であることから，NT-proBNPを心不全のマーカーとして使用する施設もあります．ANP，BNP，CNPは，その作用メカニズムには諸説ありますが，腎臓で利尿作用を発揮します（⇒25頁参照）．

> **MEMO**
>
> Na利尿ホルモン
> ANP ⇒ 心房
> BNP ⇒ 心室
> CNP ⇒ 血管内皮細胞

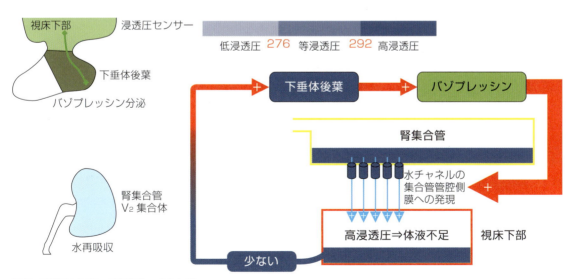

図7 抗利尿ホルモン（バゾプレッシン）系

2 心不全薬の種類と使い方

強心薬

　それでは，いよいよ心不全に使う薬の説明に入っていきましょう．まず，心不全で低下した心臓の収縮力を直接増強する薬，強心薬から始めます．これには主に次の3タイプがあります．
- 強心配糖体（ジギタリスなど）
- カテコールアミン
- ホスホジエステラーゼ

●よく使用される強心薬

タイプ	一般名	商品名	特徴	基本用量
ジギタリス	ジゴキシン	ジゴキシン®，ジゴシン®	Na/Kポンプ阻害薬，低用量では副交感神経刺激	0.125〜0.25mg/日
	ジギトキシン	ジギトキシン®	腎代謝	0.05〜0.1mg/日
	メチルジゴキシン	ラニラピッド®	ジゴキシンより即効性	0.1〜0.2mg/日
カテコールアミン	ドパミン	イノバン®など	低用量：血管拡張 中用量：収縮増強 高用量：血管収縮	1〜5μg/kg/分
	ドブタミン	ドブトレックス®など	$β_1・β_2$受容体刺激	3〜5μg/kg/分
	ノルアドレナリン	ノルアドリナリン®	心原性ショックを伴う心不全が標的	0.03〜0.35μg/kg/分
	アドレナリン	ボスミン®	心原性ショックを伴う心不全が標的	心停止時に1mg静脈（心注）
	デノパミン	カルグート®	ドブタミン静注からの離脱に使用．慢性心不全の維持療法には使用しない	5〜10mg×3回/日

●薬剤の副作用

①ジギタリス

　ジギタリスは有効血中濃度が狭く，半減期が長い（ジゴキシン®40時間，ジギトキシン®168時間）ので，ジギタリス中毒（digitalis intoxication）に注意が必要です．低 K 血症では特にジギタリス中毒が起こりやすいことが知られています．ジギタリスの直接の標的はNa/K ポンプです．細胞外 K は Na/K ポンプの重要な駆動力となっています．このため，低 K 血症ではもともと Na/K ポンプ活性が低いので，ジギタリスの効果が強く出やすいためと考えられています．

　ジギタリス中毒の中で特に問題となるのが不整脈です．低濃度では副交感神経の活性化が主体となるので，洞徐脈，洞停止，洞房ブロック，房室ブロックなどの徐脈性不整脈が問題となります．高濃度では細胞内 Ca 負荷の増加と交感神経活性亢進が起こるので，心室期外収縮，心室頻拍などの頻脈性不整脈が問題となります．

②カテコールアミン
　共通する副作用として，不整脈，過度の血圧上昇，狭心症，および悪心・嘔吐・腹部痛などの消化器症状などがあります．個別では，ドパミンで麻痺性イレウス，末梢循環不全，アドレナリンで肺水腫，ノルアドレナリンで徐脈などに注意が必要です．

●薬剤の禁忌
　ジギタリスは徐脈性不整脈，カテコールアミンは頻脈性心室不整脈と褐色細胞腫，およびジギタリス，カテコールアミンとも閉塞性の心疾患（肥大型心筋症，重症の大動脈弁狭窄・僧帽弁狭窄など）で禁忌となります．

理解を深めるためのステップアップ①　　　　　　　薬の作用機序

■強心配糖体（ジギタリス）

　ジギタリスの標的分子は Na/K ポンプです．Na/K ポンプは，ATP（アデノシン 3-リン酸）1 分子の分解によって得られるエネルギーを使って，3 分子の Na を細胞外に排出し，2 分子の K を細胞内に取り込むポンプです．すべての細胞で，Na は細胞外で高く，K は細胞内が高いというイオンの濃度勾配をつくり出しています．そんなすべての細胞になくてはならない Na/K ポンプを標的とするジギタリスが，どうして格別に心臓で強心作用を示すのでしょう？　それには，Na/Ca 交換体との協調作用が関係します．

　Na/Ca 交換体は 3 分子の Na と 1 分子の Ca を細胞内外で交換するイオントランスポーターです．通常は 3Na を細胞内に取り込み 1 分子の Ca を細胞外に排出する方向に回転します．これを「順方向回転」と呼びます．場合によってはこれが逆転し 3Na を細胞外に排出し 1 分子の Ca を取り込む方向に回転することもあります．これを「逆方向回転」と呼びます．Na/K ポンプと Na/Ca 交換体は機能的に共役しています．通常は Na/K ポンプによって細胞外に排出された 3 分子の Na を Na/Ca 交換体が細胞に取り込み，1 分子の Ca を細胞外に排出する順方向回転が起こっています（図 8A）．ところが，ジギタリス存在時には Na/K ポンプが抑制されるので細胞内 Na 濃度が高くなります．すると機能的に協調する Na/Ca 交

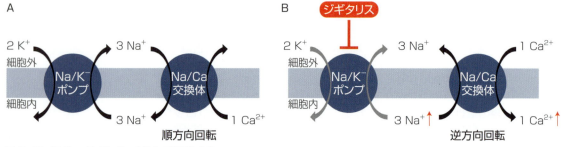

図8 Na/KポンプとNa/Ca交換体の機能的共役
A：コントロール状態．Na/Ca交換体の順方向回転によりCaが細胞外に放出される．
B：ジギタリス存在時．Na/Ca交換体の逆方向回転によりCaが細胞内に取り込まれる．

換体はNaを細胞外に排出し，Caを細胞内に取り込む逆方向回転を行うようになります．このため細胞内に取り込むCaが増加し，収縮力が増強，すなわち強心作用を示すのです（図8B）．

Na/Kポンプはすべての細胞に存在し，心臓の働きで重要となる自律神経の交感神経・副交感神経ももちろんNa/Kポンプをもっています．神経で細胞内Ca濃度が高くなると神経伝達物質の放出が増え，神経の活動が高くなります．交感神経と副交感神経の両方の活性が高くなると差引ゼロになりそうなものですが，ジギタリスに対する親和性が異なっていてそうはなりません．心臓，交感神経，副交感神経のNa/Kポンプでジギタリスの対する親和性をみてみると，

副交感神経 ＞ 心臓 ＞ 交感神経

の順番となっています．このため，低用量のジギタリスで副交感神経の緊張だけが高くなると，洞結節の自動能が低下し心拍数が遅くなり，房室結節の伝導性が低下します．これは，心房細動のときの心室応答性の制御に使われます（⇒104頁参照）．一方，ジギタリスが高用量になって交感神経が緊張すると収縮力がさらに強くなりますが，同時にCa過負荷を引き起こしてさまざまな不整脈の原因となります．

ジギタリスの使用で注意が必要なのは有効域と中毒域が近く，高用量を投与するとCa過負荷による不整脈をきたす「ジギタリス中毒」を起こすことがしばしばあることです．そこで最近では，ジギタリスは低用量で心房細動時に心室応答のコントロール，中用量で心筋の収縮力増強を目的に使われることが一般的です．ジギタリスの0.0625mg錠という低用量の錠剤が出現したのも，そのようなニーズに応えるためのようです．

■カテコールアミン

カテコールアミンは交感神経の受容体のアゴニストです．交感神経の受容体にはα受容体とβ受容体があり，循環系で特に重要となるのは$α_1$受容体，$α_2$受容体，$β_1$受容体，$β_2$受容体の4つです．

$α_1$受容体は血管に豊富に発現し，細胞内のCa濃度を上昇し，血管収縮

MEMO

ジギタリス
 低用量 ⇒
  副交感神経刺激
 中等用量 ⇒
  心収縮力増強
 高用量 ⇒
  交感神経刺激

MEMO

血管平滑筋
 細胞内Ca上昇 ⇒
  収縮
 細胞内サイクリックヌクレオチド（cAMP，cGMP）上昇 ⇒ 弛緩

をもたらします．血管平滑筋細胞では，細胞内 Ca 濃度が高くなると収縮，サイクリックヌクレオチド（cAMP，cGMP）が高くなると弛緩を引き起こすのです．α_2 受容体は交感神経終末に発現し，ノルアドレナリンの放出を抑制します．β_1 受容体は心臓に豊富に発現し，細胞内の cAMP 濃度を上昇し，心収縮力の増強と心拍数の増加をもたらします．前者を陽性変力作用（positive inotropy），後者を陽性変時作用（positive chronotropy）といいます．β_2 受容体は主に血管に発現し，cAMP 濃度を上昇し，血管の拡張を引き起こします．

==心不全では心収縮力の増強，血管収縮の 2 つの目的でカテコールアミンが投与されます．==カテコールアミンには，ドパミン（イノバン®など），ドブタミン（ドブトレックス®など），ノルアドレナリン（ノルアドリナリン®など），アドレナリン（ボスミン®など）があります．これらの使い分けは，主にドパミンとドブタミンが収縮力の増強，ノルアドレナリンとアドレナリンが血管収縮を目的とします．

これはちょっと大雑把すぎるのでもう少し丁寧に説明すると，これらの使い分けは α 受容体，β_1 受容体，β_2 受容体に対する親和性の違いに加えて，腎血管拡張作用の有無によって行います（表 1）．ドパミンは腎血管拡張作用のため利尿作用があり，うっ血を伴う心不全で好んで使われます．ドブタミンは β_2 受容体刺激による血管拡張作用があるので，心原性ショックを伴う心不全では単独使用はしませんが，高血圧を伴う心不全では好んで使われます．ノルアドレナリン，アドレナリンは α_1 受容体刺激により末梢血管収縮作用が強く，心原性ショックを伴う心不全に主に使われます．==ただし，末梢循環不全を伴うので，末梢臓器の保護はあきらめても心臓や脳などの中心臓器への循環だけは確保しようという最終手段として使われることが多く，救急蘇生のときにボスミン®の心内注射などをすることからも合点がいきますね．==

> **MEMO**
>
> **交感神経受容体**
> α_1 受容体 ⇒
> 　　血管収縮
> α_2 受容体 ⇒
> 　　ノルアドレナリン放出抑制
> β_1 受容体 ⇒
> 　　陽性変力作用，陽性変時作用
> β_2 受容体 ⇒
> 　　血管拡張作用

表 1　カテコールアミンの特徴

	α受容体	β_1受容体	β_2受容体	腎血管拡張
ドパミン（イノバン®など）	＋	＋＋	−	＋
ドブタミン（ドブトレックス®など）	＋	＋＋＋	＋	−
ノルアドレナリン（ノルアドレナリン®など）	＋＋＋	＋＋＋	−	−
アドレナリン（ボスミン®など）	＋＋	＋＋＋	＋＋＋	−

ホスホジエステラーゼ阻害薬

●よく使用されるホスホジエステラーゼ阻害薬

タイプ	一般名	商品名	特徴	基本用量
ホスホジエステラーゼ阻害薬	ミルリノン	ミルリーラ®	急性心不全に使用	50μg/kg 10分かけて静注
	ピモベンダン	アカルディ®		2.5mg/2回/日

●薬剤の副作用

　ホスホジエステラーゼは，交感神経β受容体刺激で産生されるcAMP，一酸化炭素により産生されるcGMPを分解する酵素です．ホスホジエステラーゼ阻害薬はこれらの分解を抑制するため，細胞内のcAMP・cGMP濃度を上昇させます．心不全で使われるcAMPを分解するホスホジエステラーゼⅢを阻害し，cAMPの分解を抑制します．したがって，カテコールアミンと同様の副作用，すなわち，心室期外収縮，心室頻拍，心室細動などの心室の頻脈性不整脈がみられます．また，交感神経が緊張すると心拍数が増えることからもわかるように，洞頻拍による動悸もしばしばみられる副作用です．

●薬剤の禁忌

　肥大型閉塞性心筋症

理解を深めるためのステップアップ② ――――――― 薬の作用機序

　交感神経のβ受容体は，$β_1$受容体でも$β_2$受容体でも細胞内のcAMPの濃度を上昇させることで陽性変力作用・陽性変時作用と血管拡張作用を示します．β受容体シグナルを介して産生されたcAMPはホスホジエステラーゼと呼ばれる酵素によって分解されます．そこで，ホスホジエステラーゼ阻害薬もカテコールアミンと同様の作用を示します．テオフィリン（テオドール®など），カフェイン（カフェイン®）のようなホスホジエステラーゼ阻害薬が古くからありますが，多くの臓器のホスホジエステラーゼを非特異的に阻害するので，さまざまな副作用を生じ，その臨床使用は今では限定的となっています．

　代わりに，心臓特異的ホスホジエステラーゼ（PDE3）に選択的に作用するミルリノン（ミルリーラ®），ピモベンダン（アカルディ®）などが開発されています．ただし，ホスホジエステラーゼ阻害薬の大規模臨床試験のPROMISE試験（Prospective Randomized Milrinone Survival Evaluation，1991年）の結果，長期予後は改善しなかったことから，ホスホジエステラーゼ阻害薬は，現在では急性心不全および慢性心不全の急性増悪期に短期間だけ投与されます．

利尿薬

●よく使用される利尿薬

タイプ	一般名	商品名	特徴	基本用量
ループ利尿薬	フロセミド	ラシックス®	利尿作用は強いが，降圧作用は弱い．持続も短い	急性心不全：20mg 静注 慢性心不全：40～80mg/日経口
	アゾセミド	ダイアート®	フロセミドに類似するが，より持続性がある．二重盲検比較では浮腫改善作用はダイアート 60mg＞ラシックス 40mg	60mg/日
アルドステロン拮抗薬	スピロノラクトン	アルダクトンA®	K保持性利尿薬．テストステロン受容体との交叉反応があるため，女性化乳房を起こすことがある	25～100mg/日
	エプレレノン	セララ®	テストステロン受容体との交叉反応がないため，女性化乳房を起こさない	25～100mg/日
バソプレッシン拮抗薬	トルバプタン	サムスカ®	低Na血症合併の心不全に有効．急激な血清Na上昇による橋中心髄鞘崩壊症が起こることがあるので入院下で開始	15mg/日

●薬剤の副作用

利尿薬には注意が必要な副作用がいくつかあります（表2）．

①高K血症・低K血症

アルドステロン拮抗薬はK排泄を阻害するので，高K血症をきたすことがあります．一方，ループ利尿薬・サイアザイドは集合管へのNa負荷が増加するので，集合管に限るとNa再吸収とK排泄が増加します．そのため，低K血症をきたすことがあります．

②代謝性アルカローシス・代謝性アシドーシス

集合管にはその管腔膜にENaCやROMKを発現し，Na再吸収とK排泄を行う「主細胞」の他に，H^+ポンプを発現し酸塩基調節を行う「介在細胞」があります．介在細胞でのH^+排泄は集合管でのNa負荷により増強します（図10）．ループ利尿薬・サイアザイドは集合管より上流でNa再吸収を抑制するので，集合管のNa負荷は増えH^+排泄が増加するので代謝性アルカローシスをきたします．一方，アルドステロン拮抗薬は集合管のNa負荷を減らすため，H^+排泄が減少し代謝性アシドーシスをきたします．

③高尿酸血症

尿酸は尿に溶け込んで排泄されますが，酸性物質なので尿が酸性化すると尿中に溶けるのが困難となります．そのため，再吸収が増えます．

2．心不全薬の種類と使い方

ループ利尿薬・サイアザイドは集合管介在細胞からH^+排泄を増加し，尿を酸性化するので，尿酸の再吸収が増え高尿酸血症をきたします．

表2　利尿薬の副作用

	K代謝	酸塩基バランス	高尿酸血症
ループ利尿薬・サイアザイド	低K血症	代謝性アルカローシス	＋
アルドステロン拮抗薬	高K血症	代謝性アシドーシス	－

　心不全の治療に使われる利尿薬は，水分再吸収の割合の比較的大きいヘンレ係蹄で作用するループ利尿薬と，循環動態の悪化をもたらさない集合管で作用するアルドステロン拮抗薬とV_2阻害薬です．サイアザイドは心不全では使われることはまれで，主に高血圧の治療に使われます．

● 薬剤の禁忌
① ループ利尿薬
　　無尿，肝性昏睡，腎不全，血圧低下
② アルドステロン拮抗薬
　　無尿，腎不全，高K血症（5.0mEq/L以上）
③ バゾプレッシン拮抗薬
　　高Na血症，妊婦，重篤な腎障害・肝障害

理解を深めるためのステップアップ③ ─────────── 薬の作用機序

　腎臓には，ネフロンと呼ばれる糸球体と尿細管からなる構造単位が約100万個あります．糸球体は，輸入動脈と輸出動脈の間の毛細血管とこれを覆うボウマン嚢からなります．糸球体には毎分200mLの血液が送られます．糸球体の圧（糸球体圧）は60mmHgと普通の毛細血管よりも高く，これが濾過圧となってボウマン嚢に毎分100mL（腎血流の約半分）が濾過され原尿となります．この100mLには生体が必要なものも不要なものも含まれています．必要なものは尿細管で再吸収され，不要なものが尿として排泄されます．

　糸球体は，近位尿細管-ヘンレ係蹄-遠位尿細管-集合管からなります．水分に関していうと，原尿のうち約99％が再吸収され，残り1％だけが尿となります．再吸収は，近位尿細管で65〜70％，ヘンレ係蹄で15〜20％，遠位尿細管で5〜10％，集合管で4％が行われます．近位尿細管で行われる65〜70％の再吸収に手をつけると大変なことが起こるので，利尿薬はヘンレ係蹄，遠位尿細管，集合管で行われる再吸収を標的としています（図9）．

■ ヘンレ係蹄と尿細管に作用する利尿薬：ループ利尿薬
　水分の再吸収は，ほとんどの場合がNaの再吸収とカップルして行われます．そこで，ほとんどの利尿薬が水分自身の再吸収を促進するのではな

MEMO

原尿：100mL/分
水分再吸収
　近位尿細管 ⇒
　　　　65〜70％
　ヘンレ係蹄 ⇒
　　　　15〜20％
　遠位尿細管 ⇒
　　　　5〜10％
　集合管 ⇒ 4％
尿：1mL/分

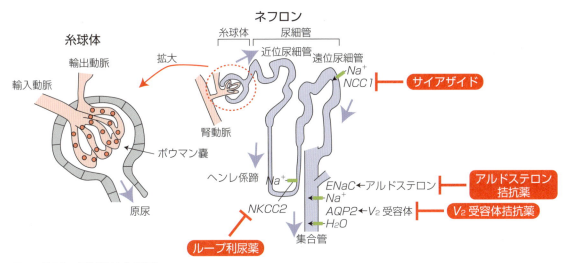

図9 利尿薬の標的分子と作用部位
AQP2：水チャネル2型，ENaC：上皮型ナトリウムチャネル，NKCC2：Na/K/Cl共輸送体，NCC1：Na/Cl共輸送体，
V_2受容体：バゾプレッシンV_2受容体

くNaの再吸収を抑制することで間接的に水再吸収を促進します．ヘンレ係蹄でNaの再吸収にかかわる分子はNa/K/Cl共輸送体（NKCC2）と呼ばれるイオン輸送体です．これを抑制する薬物をループ利尿薬と呼び，フロセミド（ラシックス®）がその代表です．

■ 遠位尿細管に作用する利尿薬：サイアザイド

遠位尿細管のNa再吸収を行う分子はNa/Cl共輸送体（NCC1）と呼ばれるイオン輸送体です．これを抑制する薬物はサイアザイド（フルイトラン®など）です．

Column：ループ利尿薬がダウン症候群の知的障害を改善する

　ダウン症候群は21番染色体のトリソミーが原因で，先天性の知的障害の中で最も頻度が多いものです．ダウン症候群では脳のある部分の細胞内Cl^-濃度が高くなり，通常はCl^-チャネルを神経伝達物質の受容体とする抑制性の神経が興奮性の神経になることが知的障害の原因であることが最近マウスの実験で示されました．
　この脳細胞にCl^-を取り込むのがNKCC2で，ダウン症候群ではNKCC2の発現が脳のある部位で増えていることも明らかとなりました．NKCC2の阻害薬は心不全で使われるループ利尿薬なので，ダウン症候群モデルマウスにループ利尿薬を投与すると知的障害が改善されました．ヒトではまだ検討されていませんが，ループ利尿薬がダウン症候群の知的障害を改善するかもしれないという，驚くべき結果です．最近は，このようにすでに認可されている薬を他の疾患の治療に応用すること（これをre-positioningといいます）が，安全性の確認などのステップを飛ばすことができるので大流行です．

集合管に作用する利尿薬：アルドステロン拮抗薬とバゾプレッシン V_2 受容体拮抗薬

1. アルドステロン拮抗薬

集合管で作用する利尿薬には，Na 再吸収を抑制する利尿薬と水再吸収を直接抑制する利尿薬があります．Na 再吸収を抑制する利尿薬のアルドステロン拮抗薬から説明しましょう．おさえておくべきポイントは2つです．

① K と交換で Na を再吸収

集合管では上皮型 Na チャネル（ENaC）と呼ばれるイオンチャネルによって Na の再吸収が行われます（図10）．尿細管の細胞は上皮細胞であり，その細胞膜は尿細管の管腔側（管腔膜）と組織側（基底膜）に分かれます．管腔膜と基底膜に発現するイオンチャネルや輸送体が異なっており，これによって Na や水の一方向性の輸送（管腔側から組織側への再吸収）が可能となります．集合管では管腔膜に ENaC と呼ばれる Na チャネルと ROMK と呼ばれる K チャネルが存在し，基底膜には Na/K ポンプが存在します．ENaC を介して再吸収された Na は，Na/K ポンプによって組織に運ばれ，これと引き換えに基底膜では Na/K ポンプ，管腔膜では ROMK を介して K が組織から管腔に運ばれます．すなわち，集合管では Na の再吸収は K の排泄と交換に行われるのです．

② アルドステロンによる誘導

ステロイドホルモンの受容体は核内受容体と総称されますが，名前に反して通常は細胞質に存在します．ステロイドは脂溶性なので細胞膜を通過することができ，細胞質にある受容体に結合できるのです．受容体にステロイドホルモンが結合すると核内に移行し，遺伝子の転写を惹起します．集合管で重要となる核内受容体はミネラルコルチコイド受容体で，アルドステロンが同受容体に結合すると核内に移行します．転写が活性化される

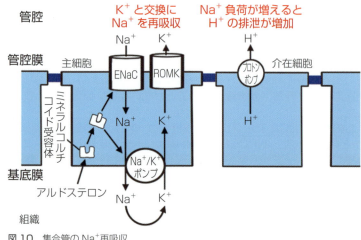

図10 集合管の Na^+ 再吸収

遺伝子はENaCとNa/Kポンプをコードする遺伝子で，Naの再吸収とKの排泄を亢進します．アルドステロン拮抗薬［スピロノラクトン（アルダクトンA®）・エプレレノン（セララ®）］は，ENaCとNa/Kポンプの転写を抑制することにより，Na再吸収とK排泄を抑制します．このため，これらはK保持性利尿薬といわれます．

2. バゾプレッシン V_2 受容体拮抗薬

バゾプレッシンはNaに依存しない水再吸収系です．視床下部で浸透圧を感知して下垂体後葉から分泌され，集合管で作用するのでしたね．集合管で水の再吸収にかかわる水チャネルAQP2は通常は細胞質に存在し，水を再吸収しません．バゾプレッシンが集合管基底膜のバゾプレッシン V_2 受容体に結合するとAQP2が管腔膜に移動し，集合管から水を再吸収します．V_2 受容体拮抗薬のトルバプタン（サムスカ®）は，AQP2の管腔膜への移動を阻害することにより水の再吸収を抑制します．

心不全でループ利尿薬やアルドステロン拮抗薬を使用していると，低Na血症をきたして難渋することがしばしばあります．V_2 受容体拮抗薬は低Na血症をきたさない利尿薬という位置づけがなされています．ただし，水再吸収を直接的に抑えるので脱水症状，高Na血症とこれによる橋中心髄鞘崩壊症をきたすおそれがあることから，投与開始・再開は入院下で行う必要のある使い方の難しい薬です．

レニン・アンジオテンシン・アルドステロン系に作用する薬

● よく使用されるレニン・アンジオテンシン・アルドステロン系に作用する薬

タイプ	一般名	商品名	特徴	基本用量
アンジオテンシン変換酵素阻害薬（ACE-Ⅰ）	エナラプリルマレイン酸塩	レニベース®		5〜20mg/日（耐用性が高用量［20mg/日］を使用）
	リシノプリル	ロンゲス®，ゼストリル®		10〜20mg/日
アンジオテンシンⅡ受容体拮抗薬（ARB）	ロサルタン	ニューロタン®		25〜100mg/日
	カンデサルタンシレキセチル	ブロプレス®		4〜8mg/日
	バルサルタン	ディオバン®		40〜160mg/日

● 薬剤の副作用

　Chapter2「高血圧」を参照

● 薬剤の禁忌

　Chapter2「高血圧」を参照

理解を深めるためのステップアップ④ ──────── 薬の作用機序

レニン・アンジオテンシン・アルドステロン系は，心不全のときの循環動態悪化の中心因子です．したがって，同系に作用する薬は心不全治療の要となります．それには，直接レニン阻害薬，ACE阻害薬，AT-1受容体拮抗薬（ARB），アルドステロン拮抗薬があります．アルドステロン拮抗薬は利尿薬のところで説明したので，ここでは直接レニン阻害薬，ACE阻害薬，ARBについて解説します（図11）．

ACE阻害薬

ACE阻害薬は，アンジオテンシンIからアンジオテンシンIIへの変換を阻害する薬です．図4で説明したように，アンジオテンシンIIの作用は血管収縮，塩分・水分再吸収，交感神経刺激，線維化なので，ACE阻害薬はこれらを抑制します．ACE阻害薬の作用を整理し直すと，

①血管収縮の抑制によって，心臓にかかる負荷を軽減します．フランク・スターリング曲線は，心機能低下だけでなく心臓にかかる負荷の増加でも下方に移動します．したがってACE阻害薬はフランク・スターリング曲線を上方に回復する作用をもちます．

②アルドステロン分泌を抑制することにより，利尿作用を示します．

③交感神経は，レニン・アンジオテンシン・アルドステロン系との間に正のフィードフォワード系を形成し，循環動態悪化の主要因となります．ACE阻害薬はこの悪循環を断ち切ってくれます．

④アンジオテンシンIIによる線維化は，心臓や腎臓のリモデリングにより心不全や慢性腎疾患（Chronic Kidney Disease：CKD）を引き起こすので，ACE阻害薬は心臓・腎臓での線維化（リモデリング）を抑制します．

⑤ACE阻害薬には，アンジオテンシンII産生を抑制する以外にブラジキニンを増加し血管を拡張するという意外な作用があります．ACE阻害薬がどのようにしてブラジキニンを増加するのでしょう？　ブラジキニンは，キニナーゼと呼ばれる酵素によって分解されて不活性型になります．キニナーゼは実はACEと同一分子であることが後にわかりました．そこでACE阻害薬は，ブラジキニンの分解を抑制してその濃度を上昇させます．ブラジキニンはサブスタンスPと呼ばれる分子の分泌にもかかわっていますが，サブスタンスPは咳嗽中枢を刺激する作用があるので，ACE阻害薬が副作用として空咳を示すのはこのためです．

アンジオテンシンIをアンジオテンシンIIに分解する酵素は，循環血液中ではACEですが，組織ではキマーゼと呼ばれる酵素がこれを担当しま

す．ACE 阻害薬を長期間投与すると代償作用で組織キマーゼ活性が上昇するので，アンジオテンシンⅡ濃度が上昇します．これを「アンジオテンシンⅡエスケープ現象」と呼びます．アンジオテンシンⅡエスケープ現象にもかかわらず ACE 阻害薬が長期投与でも有効なのは，ブラジキニン上昇による血管拡張作用によるものです．

■ ARB

アンジオテンシンⅡの血管収縮，塩分・水分再吸収，交感神経刺激，線維化は，それぞれ血管平滑筋細胞，副腎皮質，交感神経終末，線維芽細胞の AT-1 受容体を介して行われます．したがって ARB はこれらの作用をすべて抑制してくれます．アンジオテンシンⅡ受容体には，AT-1 受容体に加えて AT-2 受容体があります．AT-2 受容体は AT-1 受容体作用に拮抗的に働き，アンジオテンシンⅡの作用が過剰とならないように微調節する受容体であることは前記しました（⇒ 6 頁参照）．ARB は AT-2 受容体をブロックしません．また，ARB を長期投与すると代償的にアンジオテンシンⅡの濃度は上昇するので，AT-2 受容体を介する AT-1 受容体拮抗作用は増強され，AT-1 受容体シグナルが強力に抑制されるメリットがあります．

■ 直接レニン阻害薬

直接レニン阻害薬のアリスキレン（ラジレス®）は，10 年ぶりの新規降圧薬というふれ込みで 2009 年に発売されました．レニン・アンジオテンシン・アルドステロン系の最上流を抑えます（同系の引き金になるのが腎臓からのレニンの分泌でしたね）．ACE 阻害薬や ARB は長期投与する代償

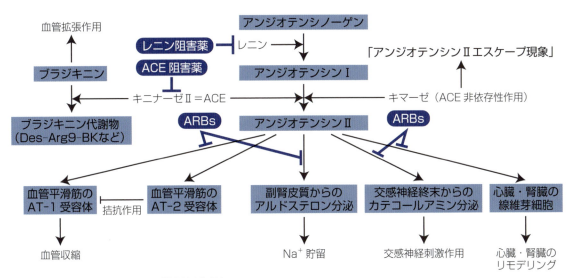

図 11　ACE 阻害薬・ARB・レニン阻害薬の作用点

的にレニン活性が上昇する欠点がありますが,レニン阻害薬は最上流を抑えるので,そのようなフィードバックが起こる心配がありません.ただ,アリスキレンは 2003 年 1 月に高血圧に対する国内承認がとられていますが,心不全に対する使用は 2015 年時点では認められておらず,心不全に対する有効性などもまだわかっていません.

交感神経β受容体遮断薬（βブロッカー）

●よく使用される交感神経β受容体遮断薬（βブロッカー）

タイプ	一般名	商品名	特徴	基本用量
αβ遮断薬	カルベジロール	アーチスト®	α遮断作用：β遮断作用＝1：8	低用量（1.25mg/日）から開始して,2.5〜10mg/日で維持
β遮断薬	ビソプロロールフマル酸塩	メインテート®		低用量（0.625mg/日）から開始して,0.625〜5mg/日で維持

● 薬剤の副作用

①心臓作用

　うっ血性心不全の悪化,房室伝導障害のある患者や洞結節機能・房室伝導を障害する可能性のある他の薬物を使用している患者で,生命を脅かすような徐脈を引き起こすことがあります.末梢血管では,$β_2$受容体が刺激され平滑筋の弛緩が起こります.したがってβ受容体遮断薬,特に$β_1$受容体非選択的な遮断薬は末梢血管疾患の症状を悪化させレイノー現象や間欠性跛行を起こすことがまれに認められます.また,臨床でしばしば問題となるのが,β受容体遮断薬の突然の投与中止により起こる離脱現象（リバウンド）です.これはβ受容体遮断薬の長期投与によりβ受容体の発現増加が起こることに起因し,内因性カテコールアミンに対する感受性の亢進が起こるためとされています.その結果,狭心症を悪化させ,突然死の危険性を増大させる可能性があります.

②呼吸器系に対する作用

　気管支平滑筋の$β_2$受容体遮断により気管支攣縮を起こすことがあります.

③中枢神経に対する有害作用

　疲労,睡眠障害（不眠,悪夢を含む）ならびに抑うつが含まれます.

④代謝に対する作用

　患者に低血糖徴候を自覚させにくくすることがあり,またインスリンで生じる低血糖からの回復を遅らせることがあります.したがって,低血糖を起こしやすい糖尿病患者には,β遮断薬は十分に注意して使用すべきです.

● 薬剤の禁忌

　気管支喘息（アーチスト®のみ）,代謝性アシドーシス（糖尿病性ケトアシドーシス）,徐脈性不整脈（Ⅱ・Ⅲ度房室ブロック,洞房ブロック,高度徐脈）,非代謝性心不全（心原性ショック,強心薬・血管拡張薬の静脈内投与を要する心不全）,肺高血圧による右心不全,未治療の褐色細胞腫,妊娠

理解を深めるためのステップアップ⑤ ─────────── 薬の作用機序

　βブロッカーは筆者が医学部生・研修医時代は心不全患者には禁忌でした．ところが1993年に行われた慢性心不全患者でβブロッカーが本当に予後を悪くするのかを検討したMDC試験（Metoprolol in Dilated Cardiomyopathy trial）で，予後を悪くするどころか逆説的に死亡率を低下させるという衝撃的な成績が発表されました．これによって，心不全の禁忌薬であったβブロッカーが，一転して心不全の治療薬となりました．
　βブロッカーは，腎臓の傍糸球体装置からのレニン分泌を抑制することで循環動態の悪循環を断ち切ることが心不全に対する主要な効果ですが，心臓の収縮力と心拍数を減らすことによる心筋細胞の酸素需要の減少も関与します．逆に，後者の作用のために非代償性心不全患者に対してはいまだに禁忌であり，代償性心不全患者でも少用量から徐々に投与量を増加し心不全が非代償性とならない範囲で最高用量まで増やすこと，その際一時的に利尿薬を併用してできるだけ高用量にもっていくこと，などが使用上の注意点です．

Column：心不全にはなぜカルベジロールか？

　βブロッカー多しといえども，心不全に対する国内承認が得られているのはカルベジロール（アーチスト®）と，ビソプロロールフマル酸塩（メインテート®）だけです．欧米ではこれ以外にも心不全で承認されているβブロッカーがあります．心不全患者の生命予後をこれらのβブロッカーの間で比較した臨床研究が数多くありますが，いずれもカルベジロールが優勢な結果が出ています．これはなぜなのでしょう？
　心不全の死亡には，ポンプ不全死と不整脈死があります．重症心不全ではポンプ不全死，軽症心不全では不整脈死が主体となりますが，心不全全体では大体50％：50％となっています．不整脈死には，β受容体刺激によってリン酸化されたリアノジン受容体を介する筋小胞体からのCaリークが関係するといわれています．βブロッカーは，リアノジン受容体のリン酸化を抑制することで不整脈死を減少させますが，カルベジロールはこれに加えてリアノジン受容体チャネルを直接ブロックする作用ももっています．すなわちカルベジロールはβブロッカー作用に加えてプラスアルファ作用をもつので心不全の生命予後を改善する作用が他のβブロッカーよりも強いようです．

血管拡張薬：硝酸薬と ANP

● よく使用される血管拡張薬

タイプ	一般名	商品名	特徴	基本用量
硝酸薬	ニトログリセリン	ミリスロール®，ミオコール®		0.05〜0.1μg/kg/分で開始，5〜15分ごとに0.1〜0.2μg/kg/分増量 1〜5μg/kg/分で維持
ANP	カルペリチド	ハンプ®		0.1〜0.2μg/kg/分

● 薬剤の副作用
　硝酸薬の副作用は，Chapter3「虚血性心疾患」を参照
　ANP の副作用は，血圧低下，低血圧性ショック，徐脈です．

● 薬剤の禁忌
① ニトログリセリン
　硝酸系薬過敏症，閉塞隅角緑内障，重篤な低血圧，心原性ショック，頭部外傷，脳出血
② カルペリチド
　重篤な低血圧，心原性ショック，右室梗塞患者，脱水症患者

理解を深めるためのステップアップ⑥ ──────── 薬の作用機序

　心機能が低下すると，フランク・スターリング曲線が下方に移動し，低心拍出量による症状（息切れ，易疲労）が出現します．フランク・スターリング曲線が下方に移動するのは，心機能低下だけでなく心臓にかかる負荷が増えた場合にも起こります（図12）．血管拡張薬は，この心臓にかかる負荷を軽減することで1回心拍出量を回復する作用があります．ACE阻害薬やARBにも血管収縮を抑制する作用があるので，血管拡張作用が

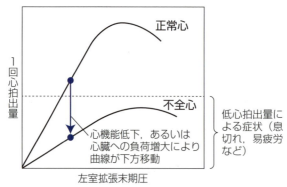

図12　フランク・スターリング曲線の下方移動

あります．これらに加えて心不全で使われる血管拡張薬は硝酸薬とANPです．

■硝酸薬

硝酸薬は，Chapter3「虚血性心疾患」で詳しく説明するので，ここでは最低限の説明にとどめておきます．硝酸薬は可溶型グアニル酸シクラーゼを活性化し，GTPからcGMPを産生します．シクラーゼは，英語にするとcyclaseで直訳するとcycleをつくるものとなり，GTPから環状のcGMPをつくります．ちなみに，ATPから環状のcAMPをつくる酵素をアデニル酸シクラーゼといい，交感神経β受容体にリガンドが結合すると活性化されます．cGMPは血管拡張作用を有し，心臓にかかる負荷を軽減することでフランク・スターリング曲線を上方にシフトさせ，心拍出量を増加させます．

■ANP

ANPは心房から分泌されるナトリウム利尿ペプチドでした（⇐9頁参照）．リコンビナントのヒトANP〔カルペプチド（ハンプ®）〕の静注薬が心不全治療に使われます．

最初にANPの作用を説明しましょう．ANPの受容体NPR-Aは膜型のグアニル酸シクラーゼで，GTPからcGMPを生成します．したがって，ANPの主な作用は一酸化窒素と似ており血管を拡張する作用です．腎臓では主に輸入動脈の血管を拡張するので，糸球体圧が増加し原尿が増えます．また機序は不明ですが，尿細管上皮細胞でNa再吸収も抑制する効果も加わって，利尿作用を示します．さらに，ANPには心保護作用があるといわれています．その詳しいメカニズムも明らかではありませんが，最近その一部が明らかとなってきています．cAMPやcGMPを分解する酵素ホスホジエステラーゼ（PDE）のうち，一酸化窒素由来のcGMPを分解する酵素はPDE5A，ANP由来のcGMPを分解する酵素がPDE9Aと異なった酵素が行っています．PDE5Aの阻害薬は心保護作用を示しませんが，PDE9Aの阻害薬は心保護作用を示したことから，ANP由来のcGMPが特異的に心保護作用を示すことが示唆されています．どのようにして同じcGMPでも使い分けがされているのかは，まだわかっていません．

医師のなかで「ANPはよく効く」「ANPは切れ味が鋭い」という声をしばしば耳にします．実際の臨床試験のデータではどのような結果が得られているのでしょうか？　日本ではANPが使用されていますが，日本以外の国ではBNP（nesiritide®）が使われています．日本では大規模臨床試験が行われていないので，今のところ欧米でのBNPの大規模臨床試験のデータを参考にするほかありません．欧米でもBNP導入時は熱狂的な支持を得ましたが，FUSION Ⅱ 試験（Follow-up Special Infusions of Nesiritide

---

MEMO

hANPの作用
①血管拡張作用
②利尿作用
③心保護作用

in Advanced Heart Failure II, 2007年), ASCEND-HF試験 (Acute Study of Clinical Effectiveness of Nesiritide in Decompensated Heart Failure, 2011年）でいずれも全死亡や心不全の改善を認めなかったことから，最近では限定的な使われ方となっています．日本ではどうでしょう？hANPの複数の小規模な無作為コントロール試験の結果を合わせたデータがありますが，hANPも血行動態データは改善していますが，死亡率は改善していません．==hANPに関しては一時の熱狂的支持は収まり，エビデンスに基づいた使用に落ち着きつつあるように感じます．==

その他の心不全治療薬

最近，異なる機序で作用する新しい心不全治療薬がいくつか利用可能となっています．本書では2つ紹介します．

▎SGLT2阻害薬

SGLTは，ナトリウム・グルコース共輸送体で，腎尿細管上皮細胞に発現し，原尿から糖の再吸収を行います．そこで，SGLT2阻害薬が，糖尿病治療薬として数年前から使われています．糖尿病は心疾患のリスク因子であることから，心疾患を有する糖尿病患者でSGLT2阻害薬を投与する研究が複数行われました．EMPA-REG OUTCOME試験血，DAPA-HF試験で，SGLT2阻害薬が心不全による入院や心血管死を減らすという結果が得られました．2020年時点では，SGLT2阻害薬の心不全への適応拡大が申請されているところです．

▎ペースメーカチャネル（I_fチャネル）阻害薬

「Chapter4 不整脈」（82頁）で説明しますが，洞結節で心拍数を規定するイオンチャネルにペースメーカチャネル（I_fチャネル）と呼ばれるものがあります．心不全では，心拍数増加を伴うことがしばしばあります．βブロッカーやCa拮抗薬は，心拍数を減らしますが，それ以外の作用もあります．心拍数のみを減らす薬として，イバブラジンと呼ばれるペースメーカチャネル（I_fチャネル）阻害薬が開発されました．ペースメーカチャネル（I_fチャネル）阻害薬イバブラジンは，左室駆出率35％以下の心不全患者で有効性と安全性が確認され，2018年に心不全治療薬として認可されました．

Column：心不全の生命予後に関する因子

　心不全は生命予後が悪いことから，その生命予後に関係するパラメーターの探索・解析が盛んに行われています．特に注意が必要なのは，腎機能，肝うっ血，貧血，栄養状態の4項目です．

　慢性心不全に合併する慢性腎疾患（CKD）は，推定糸球体濾過量（eGFR）60mL/分/1.73m^{2}以下を目安にすると，JCARE-CARD（Japanese Cardiac Registry and Heart Failure in Cardiology）では71％，CHART（Chronic Heart Failure Analysis and Registry in the Tohoku District）では43％とされています．

　肝うっ血では，AST，ALT，T-Bil，γ-GTP，ALPなどの肝機能検査のうち，T-Bilが最もよい指標になるとされています．

　栄養状態はAlbをマーカーにすることが多いようですが，消化管うっ血による吸収障害が一因とされています．

　いずれもうっ血が関与することから，心不全ではうっ血の改善がことのほか重要となります．利尿薬により水をひくと腎機能が悪化することがありますが，うっ血の改善を優先するか腎機能維持を優先するかは専門家の間でも意見の分かれる悩ましい問題です．

3 心不全の治療

急性心不全の治療

　心不全の病態，治療薬の説明をしたところで，実際の心不全の治療をみていきましょう．急性心不全と慢性心不全ではかなり治療法が異なるので，別々に説明します．まずは急性心不全の治療法から始めましょう．

Forrester分類

　急性心不全の治療法は，スワン・ガンツカテーテルを挿入し，心係数と肺動脈楔入圧を測り Forrester分類（表3）に基づき治療法を決定するのが王道です．心係数が 2.2L/min/m² 以上で肺動脈楔入圧が 18mmHg 以上の2類の場合は，うっ血が主体で利尿薬が主に用いられます．心係数が 2.2L/min/m² 未満で肺動脈楔入圧が 18mmHg 未満の3類の場合は，心収縮力低下が主体で，主に強心薬が用いられます．心係数が 2.2L/min/m² 以下で肺動脈楔入圧が 18mmHg 以上の4類の場合は，うっ血と心収縮力低下が合併しており，利尿薬と強心薬の両者が用いられます．

知っておきたい用語

・Forrester分類

表3　Forrester分類

		肺動脈楔入圧（mmHg）	
		18未満	18以上
心係数 (L/min/m²)	2.2以上	1類 肺うっ血（−） 末梢循環不全（−） 無治療	2類 肺うっ血（＋） 末梢循環不全（−） 利尿薬（血管拡張薬）
	2.2未満	3類 肺うっ血（−） 末梢循環不全（＋） 強心薬（血管拡張薬・輸血）	4類 肺うっ血（＋） 末梢循環不全（＋） 利尿薬（血管拡張薬） 強心薬（血管拡張薬・輸血）

　これは，フランク・スターリングの曲線に当てはめて考えてみるとイメージがつかみやすいかもしれません（図13）．Forrester分類2類は，循環血液量が増加し左室拡張末期圧が上昇し，うっ血症状が出現した状態

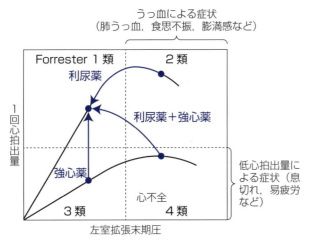
図13 フランク・スターリング曲線でみた心不全の治療

と考えられます．主に利尿薬により左室拡張末期圧の低下を目指します．Forrester分類3類は，心機能低下あるいは心臓への過負荷によりフランク・スターリング曲線が下方移動し，低心拍出量による症状が出現した状態です．主に強心薬により心機能の回復を目指します．Forrester分類4類はこの両者が合わさった状態で，利尿薬と強心薬の両者が主に使われます．

■クリニカル・シナリオ（CS）

Forrester分類に対して，最近の流行はより簡便なクリニカル・シナリオという概念に基づく治療です（図14）．クリニカル・シナリオは，来院時に行うルーチンの診察・検査に基づき心不全を診断し，収縮期血圧だけで素早く治療方針を決定しようとするものです．

1．CS1：血管不全

CS1とCS2はいずれもうっ血を主体としますが，発症の時間経過の違いにより病態，治療法は異なっています．CS1の特徴は，急激に発症する肺水腫です．心収縮力は保たれていますが，心臓にかかる負荷のために心拍出量は低下します．主要臓器への血流を維持するために末梢血管を収縮させるという対象機構が過剰に起こった結果，血流が身体の中心部位にシフトしたものと考えられることから，「血管不全」と考えられています．体液貯留自体が原因ではないので利尿薬は使わず，血管拡張作用を有する薬（硝酸薬，hANP）が主に使われます．

2．CS2：体液貯留

CS2は発症が緩徐であり，徐々に体液貯留が起こるので，肺水腫は軽度にとどまります．CS1同様，硝酸薬などの血管拡張作用をもつ薬が主体となりますが，CS1とは異なり体液貯留が病態に関与するので，利尿薬も効果を発揮します．

知っておきたい用語

・クリニカル・シナリオ（CS）

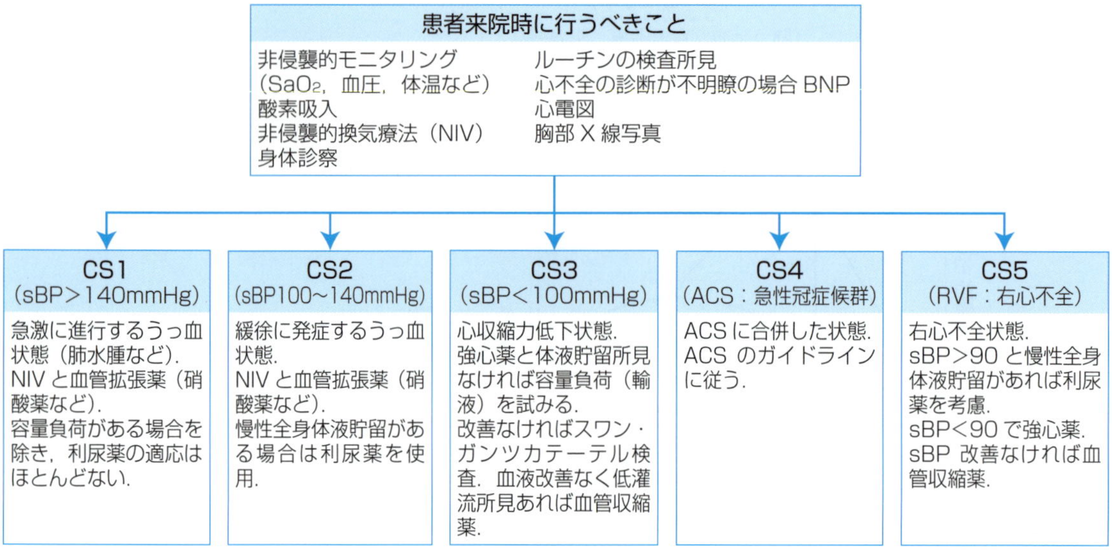

```
┌─────────────────────────────────────┐
│     患者来院時に行うべきこと          │
│ 非侵襲的モニタリング  ルーチンの検査所見│
│ (SaO₂, 血圧, 体温など) 心不全の診断が不明瞭の場合 BNP│
│ 酸素吸入              心電図          │
│ 非侵襲的換気療法（NIV）胸部 X 線写真   │
│ 身体診察                              │
└─────────────────────────────────────┘
```

CS1 (sBP>140mmHg)	CS2 (sBP100～140mmHg)	CS3 (sBP<100mmHg)	CS4 (ACS：急性冠症候群)	CS5 (RVF：右心不全)
急激に進行するうっ血状態（肺水腫など）．NIV と血管拡張薬（硝酸薬など）．容量負荷がある場合を除き，利尿薬の適応はほとんどない．	緩徐に発症するうっ血状態．NIV と血管拡張薬（硝酸薬など）．慢性全身体液貯留がある場合は利尿薬を使用．	心収縮力低下状態．強心薬と体液貯留所見なければ容量負荷（輸液）を試みる．改善なければスワン・ガンツカテーテル検査．血液改善なく低灌流所見あれば血管収縮薬．	ACS に合併した状態．ACS のガイドラインに従う．	右心不全状態．sBP>90 と慢性全身体液貯留があれば利尿薬を考慮．sBP<90 で強心薬．sBP 改善なければ血管収縮薬．

図14　クリニカル・シナリオ
NIV：noninvasive ventilation（非侵襲的換気療法），マスクによる人工呼吸，sBP：収縮期血圧
硝酸薬：ニトログリセリン，硝酸イソソルビドなど，強心薬：ドパミン，ドブタミン，ミルリノンなど，血管収縮薬：ノルアドレナリンなど

3．CS3：低心機能

　CS3 では心収縮能が著明に低下していて，血管内脱水の状態に陥っています．血管内脱水を改善するために容量負荷（輸液）を行い，心収縮能を増強するために強心薬が用いられます．血圧の改善がみられない場合は，アドレナリン（ボスミン®），ノルアドレナリン（ノルアドレナリン®）などの血管収縮薬が用いられます．

4．CS4・CS5

　CS4 は急性冠症候群，CS5 は右心不全状態です．急性冠症候群の治療は Chapter3 に譲ります．右心不全は，体静脈系のうっ血による症状が主体で，頸静脈怒張，肝腫大，下腿浮腫，食思不振などにより疑います．検査所見では，中心静脈圧の上昇が参考になります．右心不全は，通常は左心不全に伴って起こりますが，右心不全が進行すると左心不全の症状が乏しくなります．肺梗塞・右室梗塞の場合は，右心不全単独で起こります．収縮期血圧が＞90mmHg のときは利尿薬，＜90mmHg のときは強心薬が使われます．

慢性心不全の治療

　慢性心不全の重症度分類には NYHA（New York Heart Association）分類，最近では AHA/ACC Stage 分類が用いられます（表4）．
　最近の慢性心不全では，症状が出る前の危険因子を有するだけの状態，すなわち AHA/ACC Stage 分類 Stage A の段階からの治療が推奨されてい

知っておきたい用語

・NYHA 分類
・AHA/ACC Stage 分類

表4 NYHA分類・AHA/ACC Stage分類

NYHAクラス	定義	AHA/ACC Stage	定義
		A	危険因子を有するが，心機能障害がない
I	心疾患には罹患しているが，症状はなく，通常の日常生活は制限されないもの	B	無症状の左室収縮機能不全
II	心疾患患者で，日常生活が軽度〜中等度に制限されるもの 安静時には症状はないが，普通の行動で疲労・動悸・呼吸困難・狭心痛などの症状を自覚する	C	症候性心不全
III	心疾患患者で，日常生活が高度に制限されるもの 安静時には症状はないが，日常生活以下の労作（平地歩行など）によって症状を自覚する	C	症候性心不全
IV	心疾患患者で非常に軽度の活動でも何らかの症状を自覚するもの 安静時にも心不全・狭心症状を自覚することがある	D	治療抵抗性心不全

ます．おそらく危険因子を有する状態への早期治療を推奨するために，NYHA分類に代わってAHA/ACC Stage分類が導入されたということなのでしょう．Stage A，Stage Bでは，ACE阻害薬・ARBおよびβブロッカーで循環動態の悪循環を断つ治療を始めます（図15）．Stage Cとなって初めて，利尿薬・ジギタリスによる従来の治療法が開始されます．Stage Cでもさらに重症となると，抗アルドステロン薬・経口強心薬の治療を行います．Stage Dでは入院して，強心薬（ドパミン，ドブタミン），hANPの

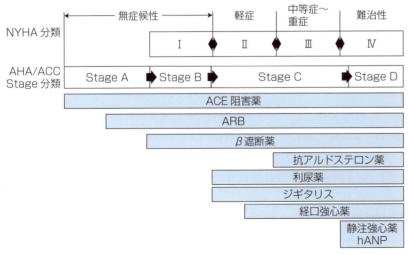

図15 慢性心不全の薬物治療

静脈注射による治療を行います．

薬剤選択のヒント

心不全の治療薬の選択で，参考になるポイントを3つ紹介します．

■ ACE-1とARBのどちらを選択するか

AHA/ACC Stage Aでリスク因子だけがある段階，あるいはNYHA Ⅰ度の無症候性の段階からACE-1あるいはARBの投与が推奨されています．ACE-1とARBはどのように使い分けるのでしょうか．

多くの大規模臨床試験の結果で，慢性心不全ではARBよりACE阻害薬のほうが優位であることが示されています．そこで，まずACE阻害薬を選択し，空咳などの副作用で持続できない場合，ARBに変更することが推奨されています．ACE阻害薬は腎代謝，ARBは肝代謝なので，重篤な腎障害がある患者では最初からARBを選択することもあります．

■ βブロッカーの選択

NYHA Ⅰ度の段階，すなわち無症候性だが拡張障害などの心機能障害のサインがあらわれたらβブロッカーを加えます．βブロッカーで心不全の保険適応がとれているものは，カルベジロールとビソプロロールの2つです．

両者の比較試験は欧米で数多く行われ，いずれもカルベジロールが優勢との成績が出ていることから，カルベジロールをまず選択します．βブロッカーは低用量から開始し，忍容性がある最大投与量まで漸増を試みます．一時的に利尿薬を併用してまで投与量を増やす努力がされることさえあります．薬を増量すると症状が一時的に悪化することがあるので，患者には十分説明を尽くしておくことが肝要です．

■ 利尿薬をいつまで続ける？

体液貯留による症状に対しては，ループ利尿薬は心不全治療ガイドラインでClass Ⅰ（絶対的適応）に位置づけられています．ところが，大規模無作為臨床試験のサブグループ解析では，ループ利尿薬は生命予後を悪化させました．これは，交感神経の活性化という神経体液性因子への影響のためと考えられています．図2に示した悪循環ですね．したがって，臓器うっ血が改善した後は，ループ利尿薬は漫然と継続すべきではありません．

最近のJ-MELODIC（Japanese Multicenter Evaluation of Long-versus short-acting Diuretics In Congestive heart failure）と呼ばれる日本で行われた多施設共同臨床試験で，長時間作用型のアゾセミドは短期作用型のフ

ロセミドに比べて長期生命予後改善効果が認められました〔Masuyama T, et al：Superiority of Long-Acting to Short-Acting Loop Diuretics in the Treatment of Congestive Heart Failure：The J-MELODIC Study. Circ J 76（4）：833-842，2012〕．その理由は，交感神経系活性化作用が少ないためとされています．長時間作用型アゾセミドを持続投与してもよいのか否かの判断は，利尿薬離脱患者とアゾセミド持続患者との長期生命予後の比較を待つ必要があります．

Column：心不全の初期サインとしての左房負荷

　心不全を初期段階から治療するのが最近のトレンドです．左房負荷が心不全の初期サインの1つです．実際，左房負荷が心イベント，心不全，心房細動などと関連することが次々に明らかになっています．それでは，なぜ左房負荷なのでしょう？　心不全の原因として心筋梗塞は少なく高血圧が多い日本では特にそうですが，心不全は拡張不全として始まり，収縮不全へと進展することが一般的です．拡張不全では左室拡張末期圧が上昇しますが，左室拡張末期は左房が収縮して左室に血液が送られる時相にあたります．すなわち，僧帽弁が開いており，上昇した左室拡張末期圧が左室と左房に同じようにかかります．壁が厚い左室と壁が薄い左房でどちらに先に影響が出るでしょう？　壁の薄い左房に先に影響が出ることは自明の理ですね．したがって，左房負荷が心不全の初期サインなのです．

　左房負荷は，心エコーを行えば簡単にわかりますが，高血圧患者全員に心エコーを行うわけにもいきません．まずは簡便な心電図，胸部X線写真から疑えるようにしましょう．心電図では，II誘導のM字状P波，V_1誘導の終末陰性部分の増大が左房負荷の所見です（図bA）．胸部X線写真では左第3弓が左房にあたり，これが左第1弓と第4弓の接線（黄色線）より外側に出ていたら（赤線）左房拡大と診断します（図bB）．

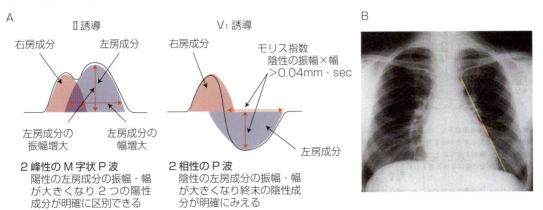

図b　左房負荷の心電図・胸部X線所見
A：心電図所見．II誘導のM字状P波とV_1誘導の終末陰性部分の拡大　B：胸部X線所見．左第3弓の突出

> ### Column：HFrEF と HFpEF
>
> 　心不全では，収縮不全と拡張不全という分類が使われますが，最近ではLVEFが低下した心不全（Heart Failure with reduced EF：HFrEF）と，LVEFの低下を伴わない心不全（Heart Failure with Preserved EF：HFpEF）という分類がしばしば使われます．さらに，LVEFが若干低下した心不全（Heart Failure with moderately reduced EF：HFmrEF）という分類も使われます．
> 　　　　HFpEF：LVEF ≧ 50%
> 　　　　HFmrEF：LVEF 40〜49%
> 　　　　HFrEF：LVEF ≦ 40%
> と分類されます．従来の心不全治療薬は，HFrEFを対象として開発されたもので，現時点では，HFpEFに有効な治療薬は見つかっておらず，今後の課題と思われます．

Chapter2
高血圧

1 高血圧とは

血圧の調節機構

■収縮期血圧，拡張期血圧，脈圧

　血圧では，収縮期血圧，拡張期血圧，収縮期血圧－拡張期血圧の脈圧を測定しますが，その関係は図1のようになっています．

　高血圧といっても，収縮期血圧が高い人・拡張期血圧が高い人，脈圧が大きい人・小さい人，さまざまです．それは，収縮期血圧と拡張期血圧の調節メカニズムが異なるからです．それぞれの血圧は，

　　収縮期血圧 ＝ 心拍出量 ÷ 動脈コンプライアンス
　　拡張期血圧 ＝ 心拍出量 × 血管抵抗

両者に共通の心拍出量は，

　　心拍出量 ＝ 心拍数 × 1回拍出量

で求めることができます．心拍数は交感神経の活性によって決まります．1回拍出量の調節に関してはChapter1「心不全」で説明をしました（⇒5頁）．1回拍出量を上げる因子は，交感神経の活性，心筋細胞へのCa流入の増加，心臓への静脈還流の増加（＝左室拡張末期圧の上昇）であり，これらを抑制する薬物には降圧作用があります．動脈コンプライアンスと血管抵抗はまだ説明をしていないので，少しく詳しくみていきましょう．

　まず，下記の2つのタイプの動脈があることを理解しましょう．

①太い動脈（大動脈など）⇒ 弾性血管 ⇒ 弾性線維に富む
②細い血管（末梢血管など）⇒ 抵抗血管（筋性血管）⇒ 平滑筋に富む

> **MEMO**
>
> **2種類の動脈**
> ・太い動脈（大動脈など）⇒ 弾性血管 ⇒動脈コンプライアンスを規定
> ・細い血管（末梢血管など）⇒ 抵抗血管（筋性血管）⇒ 血管抵抗を規定

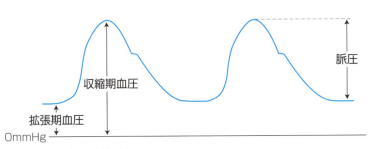

図1　収縮期・拡張期血圧と脈圧

動脈コンプライアンスとは動脈の収縮性のことです．主に，弾性血管によって規定されます．図２は，心臓内（左），大動脈（中），末梢血管（右）の収縮期（上）と拡張期（下）の圧を示します．血圧は，およそ大動脈の圧と等しいと考えることができます．心臓内圧は，収縮期と拡張期で大きな差があります．大動脈の圧（＝血圧）では，収縮期の圧は心臓内圧と同じですが，拡張期の圧は心臓内圧よりも高く末梢血管の圧と等しくなります．大動脈ではまだ収縮期と拡張期の圧に差がありますが，心臓のそれよりは小さくなっています．末梢血管ではさらにこの差は小さくなり，収縮期と拡張期の圧がほとんど同じになります．このように収縮期と拡張期の圧の差が徐々に小さくなっていき，末梢では常に一定の圧が組織にかかるような仕組みになっています．

■動脈コンプライアンス

動脈コンプライアンスが下がると，収縮期血圧が上がり，拡張期血圧はかえって下がり，このため脈圧が大きくなります．これはなぜでしょう？大動脈は弾性血管であり，伸び縮みすることができます．収縮期に心臓から血液が送り出されると大動脈は伸びて，収縮期の血圧がそれほど高くならないようになっています．また，心臓から血液が来なくなる拡張期には大動脈は縮んで，末梢に血液を送ります．このため，拡張期の血圧はそれほど低くならないようになっています．後者の性質のため，大動脈のことを「血管ポンプ」とも呼びます．

太い血管に動脈硬化が起きて，コンプライアンスが下がった状態を考えてみましょう．収縮期に心臓から血液が送られても血管が伸びることがで

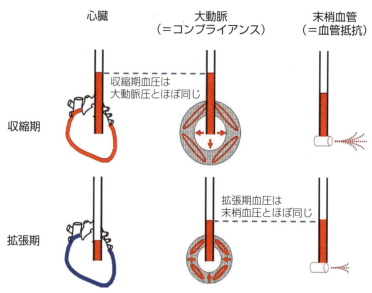

図２　動脈コンプライアンス・血管抵抗と収縮期血圧・拡張期血圧

きないので，収縮期の血圧が高くなります（図3）．また，拡張期に心臓から血液が来なくなっても縮むことができないので，拡張期血圧は逆に下がります．これは末梢にも血液が十分送れないことを意味しており，動脈硬化の強い人は末梢循環不全となります．動脈硬化は高齢者に強いので，高齢者がよく「手足が冷たい」などの症状を訴えるのもこのためです．脈圧が大きいのは動脈硬化が強いことを示唆しているので，注意が必要です．

■血管抵抗

　図2あるいは図3から，血管抵抗が上がると拡張期血圧が上がることは理解できると思います．それでは，血管抵抗はどのように調節されているのでしょう？　血管抵抗は平滑筋の収縮・拡張状態を反映します．平滑筋の収縮・拡張は，細胞内のCa濃度とサイクリックヌクレオチド（cAMP, cGMP）濃度の2つの対立する因子による調節を受けます（図4）．平滑筋細胞の細胞内Ca濃度が上がると血管は収縮し，サイクリックヌクレオチド濃度が上がると血管は拡張します．細胞内Ca濃度は，細胞膜のCaチャネルを介するCaの流入，細胞内のCa貯蔵庫である小胞体からのCa放出の2つにより規定されます．小胞体からのCa放出は，細胞膜に存在する交感神経α_1受容体およびAT-1受容体が，それぞれノルアドレナリン・アンジオテンシンⅡにより刺激されることにより誘導されます．一方，サイクリックヌクレオチドでは，cAMPは交感神経β_2受容体の刺激，cGMPが一酸化窒素によるグアニル酸シクラーゼの活性化によって産生されます．

　通常若年者でいきなり動脈硬化が来ることは少ないので，高血圧はまず

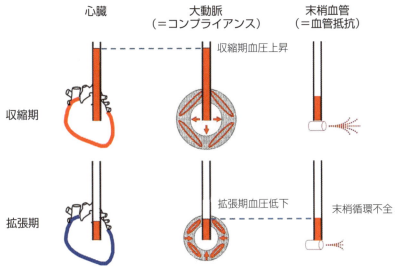

図3　コンプライアンス低下と収縮期血圧上昇・拡張期血圧低下

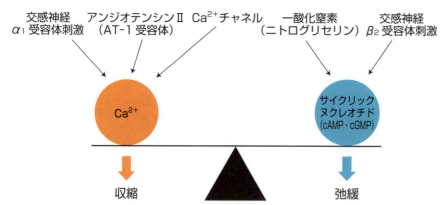
図4 Caとサイクリックヌクレオチドによる平滑筋収縮の調節

は拡張期高血圧として始まることがほとんどです．これによって長い間血管に負荷がかかり続けると動脈硬化が起こり，収縮期高血圧へと移行します．拡張期高血圧では脈圧は小さくなるため，脈圧が小さいのはよくないと巷でいわれることがあります．比較してどっちが危険かというと，脈圧が大きくなった動脈硬化のほうが高リスクといえます．

MEMO

血管収縮
・細胞内Ca上昇 ⇐ 細胞膜Caチャネル ⇐ 細胞膜交感神経α_1受容体刺激 ⇐ 細胞膜AT-1受容体刺激

血管拡張
・細胞内cAMP上昇 ⇐ 細胞膜交感神経β_2受容体刺激
・細胞内cGMP上昇 ⇐ 一酸化窒素

2 降圧薬の種類と使い方

　高血圧の治療ガイドラインは，最近では4と9のついた年に5年ごとに改定されています．2004年のガイドラインでは，
　①Ca拮抗薬
　②ACE阻害薬
　③ARB
　④利尿薬
　⑤βブロッカー
　⑥αブロッカー
の6つが第一選択薬でしたが，2009年のガイドラインではαブロッカーが外れ，2014年のガイドラインではβブロッカーが外れ，今では①〜④の4薬が第一選択薬となっています．

Ca拮抗薬

　Ca拮抗薬には，表1にあるように4つのクラスに分類されます．フェニルアルキラミン誘導体，ベンゾチアゼピン誘導体，ジアリルアミノプロピルアミン誘導体にはそれぞれ1つしか薬物がないので，誘導体と呼ぶことはほとんどなく，ベラパミル，ジルチアゼム，ベプリジルと薬剤名で呼ばれます．それぞれのクラスでは使われる対象疾患が異なっており，ジヒドロピリジン誘導体は主に高血圧，ベラパミルは不整脈，ジルチアゼムは虚血性心疾患で使われます．ジルチアゼムは心房細動時の心室レートコントロールにも使われます．ベプリジルは，もともと虚血性心疾患に対するCa拮抗薬として開発されましたが，その後他のイオンチャネル（Naチャネル，Kチャネル）のブロック作用をもつことから，Ca拮抗薬という捉え方はされなくなり，今ではCaブロック作用を併せもつIa群の抗不整脈薬という捉え方がされています．

● よく使用される Ca 拮抗薬

タイプ	一般名	商品名	特徴	基本用量
ジヒドロピリジン誘導体	ニフェジピン	アダラート®	短時間作用型.反射性頻脈による心血管イベントのための降圧薬としての使用は少ない	30mg/日分3
	ニフェジピン徐放剤	アダラート®L アダラート®CR	CR は L をさらに持続型に改良したもの	10〜20mg/日分2 20〜40mg/日分1
	ニカルジピン	ペルジピン® ペルジピン®LA	LA は徐放剤	30〜60mg/日分3 30〜40mg/日分2
	アムロジピン	ノルバスク® アムロジン®		2.5〜5mg/日分1 (最大10mg/日)
	ベニジピン	コニール®		2〜4mg/日分1 (最大8mg/日)
ベンゾチアゼピン誘導体	ジルチアゼム	ヘルベッサー® ヘルベッサー®R	R は徐放剤	90mg/日分3 (最大180mg/日) 100mg/日分1 (最大200mg/日)

● 薬剤の副作用

・陰性変力作用があるので,心不全患者,特に非代償性心不全患者には使用できません.
・血管拡張作用があるので,起立性低血圧や末梢性浮腫をきたすことがあります.
・血管拡張作用は,圧受容体反射を介して交感神経を活性化するので,心拍数を増加することがあります.特に短時間作用型の Ca 拮抗薬ではこの傾向が強く,高血圧は下げたが心血管イベントは増えたという事態になりかねません.以前は,高血圧の患者が外来に来るとアダラート®舌下をよく行っていましたが,最近ではほとんど行われなくなったのはこのためです.
・平滑筋は血管平滑筋だけではありません.消化管平滑筋にも作用するので,逆流性食道炎の悪化や便秘などの消化器症状を呈することがあります.
・グレープフルーツとの相互作用:ジヒドロピリジン誘導体は薬物代謝酵素 CYP3A4 により代謝されますが,グレープフルーツは CYP3A4 を抑制する作用があるので,ジヒドロピリジン誘導体を代謝できなくなり,薬物作用が増強・遷延することがあります.高血圧の患者はグレープフルーツを食べてはいけない,といわれることがよくありますが,それはジヒドロピリジン誘導体の Ca 拮抗薬を服用している患者だけです.

● 薬剤の禁忌

妊婦と心原性ショックが禁忌です.

表1 Ca拮抗薬の対象疾患

クラス	代表薬	主な使用疾患
ジヒドロピリジン誘導体	ニフェジピン ニカルジピン ニトレンジピン ニモジピン アムロジピン	高血圧 虚血性心疾患
フェニルアルキラミン誘導体	ベラパミル	不整脈
ベンゾチアゼピン誘導体	ジルチアゼム	虚血性心疾患（不整脈）
ジアリルアミノプロピルアミン誘導体	ベプリジル	不整脈

> **MEMO**
>
> Ca拮抗薬の主な対象疾患
> ・ジヒドロピリジン誘導体 ⇒ 高血圧
> ・ベラパミル ⇒ 不整脈
> ・ジルチアゼム ⇒ 虚血性心疾患（不整脈）
> ・ベプリジル ⇒ 不整脈

理解を深めるためのステップアップ① ─── 薬の作用機序

　Caチャネルは，血管平滑筋細胞にも心筋細胞にも存在します．血管平滑筋細胞ではCa濃度上昇は収縮をもたらすので，Ca拮抗薬は血管抵抗を下げます．心筋細胞ではCa拮抗薬は収縮力を低下させます．このことから，Ca拮抗薬は心拍出量と血管抵抗を下げるので，収縮期血圧も拡張期血圧も下げる作用があり，降圧薬として最も高頻度に処方されています（日本では70％程度）．ただし，Chapter1「心不全」で説明したようなACE阻害薬やARBが有する循環動態に対する有効性はみられません．

ACE阻害薬・ARB

●よく使用されるACE阻害薬・ARB

タイプ	一般名	商品名	特徴	基本用量
ACE阻害薬	カプトリル	カプトリル®	短時間作用型で，即効性を目的に使用する	1.25～25mg×3回/日 （最大150mg/日）
	エナラプリルマレイン酸	レニベース®		5～10mg/日
	アラセプリル	セタプリル®	プロドラックで体内にカプトリルに変換．持続時間が長い	25～75mg/日 （最大100mg/日）
	デラプリル塩酸塩	アデカット®		15～30mg×2回/日 （最大120mg/日）
	シラザプリル	インヒベース®		0.5～2mg/日
	リシノプリル	ロンゲス® ゼストリル®		10～20mg/日

	ベナゼプリル塩酸塩	チバセン®		5〜10mg/日
	イミダプリル塩酸塩	タナトリル®	空咳の副作用の発生頻度が低い	5〜10mg/日
	テモカプリル塩酸塩	エースコール®		2〜4mg/日
	キナプリル塩酸塩	コナン®		5〜20mg/日
	トランドラプリル	オドリック®プレラン®		1〜2mg/日
	ペリンドプリルエルブミン	コバシル®		2〜4mg/日（最大 8mg/日）
ARB	ロサルタン	ニューロタン®	降圧効果やや弱い	25〜50mg/日（最大 100mg/日）
	カンデサルタンシレキセチル	ブロプレス®		4〜8mg/日（最大 12mg/日）
	バルサルタン	ディオバン®		40〜160mg/日
	テルミサルタン	ミカルディス®		40mg/日（初回 20mg/日，最大 80mg/日）
	オルミサルタン	オルメテック®	降圧効果が強い	10〜20mg/日（5〜10mg/日から開始，最大 40mg/日）
	イルベサルタン	イルベタン®アバプロ®	腎症に対する有効性が報告されている	50〜100mg/日（最大 200mg/日）

● 薬剤の副作用

　ACE 阻害薬，ARB の共通の副作用として注意が必要なのは下記の 3 つです．
　①アルドステロンを抑制するのでアルドステロン拮抗薬同様高 K 血症のリスク
　②腎機能障害
　③妊娠中では初期には催奇形性，晩期には胎児の腎機能抑制による羊水過少症のリスクがあることから妊婦には投与が禁忌

　ACE 阻害薬と ARB の作用は類似していますが，若干の違いがありこれが両者の使い分けや副作用の違いにつながっています．**表 2** に ACE 阻害薬と ARB の作用の違いをまとめました．

　ブラジキニン増加のため，ACE 阻害薬では空咳と血管性浮腫が副作用としてみられることがあります．前者のほうが高頻度にみられますが，後者は気道浮腫などで致死的となることもあるので頻度が少ないからといって侮ってはいけません．ACE 阻害薬は腎代謝，ARB は肝代謝であり，腎機能障害者には ARB，肝機能障害者には ACE 阻害薬が選択される傾向にあります．

表2 ACE阻害薬とARBの違い

	ACE阻害薬	ARB
非ACE経路によるアンジオテンシンⅡ上昇	(＋)	(－)
AT-2受容体の活性化	(－)	(＋)
ブラジキニン増加	(＋)	(－)
代謝経路	腎代謝	肝代謝

●薬剤の禁忌

妊婦と心原性ショックが禁忌です.

理解を深めるためのステップアップ② ──────── 薬の作用機序

ACE阻害薬とARBは，いずれもレニン・アンジオテンシン・アルドステロン系を阻害するので，作用は類似します．アンジオテンシンⅡは，AT-1受容体を介して血管平滑筋の細胞内Ca濃度を上昇して，血管を収縮させます．したがって，ACE阻害薬，ARBは血管抵抗を下げることで主に拡張期血圧を低下させます．いずれも循環動態に対してよい作用をもつため，最近では降圧薬としての使用もCa拮抗薬に迫る勢いがあります．

副作用や両者の作用の違いに関しては，Chapter1「心不全」を参照ください（⇒20頁）．

利尿薬

●よく使用される利尿薬

タイプ	一般名	商品名	特徴	基本用量
サイアザイド系利尿薬	ヒドロクロロチアジド	ダイクロトライド®		12.5mg/日
	トリクロルメチアジド	フルイトラン®		1mg/日
アルドステロン拮抗薬	スピロノラクトン	アルダクトンA®	K保持性利尿薬．テストステロン受容体との交叉反応がるため，女性化乳房を起こすことがある	25〜100mg/日
	エプレレノン	セララ®	テストステロン受容体との交叉反応がないため，女性化乳房を起こさない	25〜100mg/日

2. 降圧薬の種類と使い方　45

● 薬剤の副作用
　Chapter1「心不全」を参照
● 薬剤の禁忌
① ループ利尿薬
　無尿，肝性昏睡，腎不全，血圧低下
② アルドステロン拮抗薬
　無尿，腎不全，高K血症（5.0mEq/L 以上）

理解を深めるためのステップアップ③ ———————— 薬の作用機序

　利尿薬には，ヘンレ係蹄で作用するループ利尿薬のフロセミド，遠位尿細管で作用するサイアザイド系利尿薬，集合管で作用するアルドステロン拮抗薬とバゾプレッシンV_2受容体拮抗薬の主に4種類があるのでした（⇒15頁）．このうち，高血圧で主に使われるのはサイアザイド系利尿薬（ヒドロクロロチアジド，ベンチルヒドロクロロチアジド，トリクロルメチアジドなど）とアルドステロン拮抗薬です．

1. サイアザイド系利尿薬

　利尿効果はフロセミド（ラシックス®）が最も強く，そのため心不全でよく使われるのでした．それでは，利尿効果があまり強くないのに，サイアザイド系利尿薬が高血圧で主に使われるのはなぜでしょう．これには2つの理由があります．

　1つは，サイアザイド系利尿薬が食塩感受性に効果的であるからです．食塩感受性とは，減塩により血圧が10％以上下がるものと定義されます．日本人では食塩感受性の割合が高く，正常血圧者でも15～53％，高血圧患者では20～74％とされています．食塩感受性は古くから知られている

Column：身をもって実感した食塩感受性

　筆者は，40代前半に4年間秋田大学に単身赴任していた時期がありました．お昼は，単身赴任者が集まって仕出し弁当をとって食べていました．秋田県は食塩摂取量が全国一多い県です．全国栄養健康統計が始まった昭和初期にはなんと食塩摂取量が34g/日もあり，多発する脳卒中を予防するため減塩政策がとられました．しかし，筆者が単身赴任した時期でも全国平均11g/日に対して，14g/日とまだ高い食塩摂取量を誇っていました（最近では11g/日と全国平均に近づいたようです）．

　仕出し弁当も最初のうちは塩っ辛くて閉口しましたが，そのうち気にならなくなりました．すると，今まで血圧は低いほうだったのに，突然健康診断で高血圧といわれてビックリです．ところが，単身赴任生活が終わるといつのまにか血圧も元の値に戻っていました．食塩感受性を身をもって実感した体験です．ただし，同じ仕出し弁当を食べていた同僚がみんな高血圧といわれたわけではないので，食塩感受性の個人差もあわせて実感しました．

概念ですが，その機序は実はまだよくわかっていません．したがって，サイアザイド系利尿薬が食塩感受性に効果的であることは経験的にわかっているものの，その機序もまだわかっていません．

　もう1つの理由は，サイアザイド系利尿薬の利尿作用に関係しない降圧作用です．サイアザイド系利尿薬に限らず利尿薬を長期間投与していると，最初は利尿作用により循環血液量が減少して，フランク・スターリングの法則に従って心拍出量を減らしますが，代償的にレニン・アンジオテンシン・アルドステロン系が活性化されて利尿・循環血液量減少の効果がなくなります．それにもかかわらず，降圧作用は維持されます．これは先の食塩感受性の改善に加えて，直接血管平滑筋に対する拡張作用があるからです．利尿薬のなかで，なぜサイアザイド系利尿薬にだけ血管拡張作用があるのかの理由もまだよくわかっていません．

2. アルドステロン拮抗薬

　アルドステロン拮抗薬は，高血圧治療ガイドラインで第一選択薬に入ったことはありません．ただし，最近では難治性高血圧に対する作用が注目されています．アルドステロン拮抗薬は，腎集合管では上皮型NaチャネルENaCとNa/Kポンプの転写を阻害することで，Na再吸収阻害・利尿作用を示すことはChapter1「心不全」で説明しました（⇒18頁）．

　これに加えて，血管で拡張作用を示すことがわかってきました．血管平滑筋ではアルドステロンの受容体ミネラルコルチコイド受容体が転写調節の標的とする遺伝子は，コラーゲンやサイトカインなど血管リモデリングに関与する遺伝子です．さらに，遺伝子発現を介さずCaチャネルを直接活性化する作用もあります．したがって，これらをブロックするアルドステロン拮抗薬は血管拡張作用を示すのです．利尿効果と血管拡張作用の両者をもつアルドステロン拮抗薬は，第4の降圧薬としての地位を築きつつあります．

交感神経系に作用する降圧薬

●よく使用される交感神経系に作用する降圧薬

タイプ	一般名	商品名	特徴	基本用量
βブロッカー	アテノロール	テノーミン®		25～50mg/日（最大 100mg/日）
	ビソプロロールフマル酸塩	メインテート®		5mg/日
	メトプロロール酒石酸塩	ロプレソール®セロケン®		60～120mg/日分3（最大240mg/日）

2. 降圧薬の種類と使い方

	プロプラノロール塩酸塩	インデラル®		30〜60mg/日分3（最大120mg/日）
	カルテオロール塩酸塩	ミケラン® ミケラン®LA	心拍数の低下作用弱い	10〜15mg/日（最大30mg/日）
	ピンドロール	カルビスケン® ブロクリン®L		15mg/日
αブロッカー	プラゾシン塩酸塩	ミニプレス®	短時間作用型，降圧薬の維持療法には向かない	
	ドキサゾシンメシル酸塩	カルデナリン®		
	ブナゾシン塩酸塩	デタントール®		3〜6mg/日（1.5mg/日より開始，最大12mg/日）
		デタントール®R		3〜9mg/日（3mg/日より開始，最大9mg/日）
αβブロッカー	アモスラロール塩酸塩	ローガン®	$α_1$遮断作用：$β$遮断作用＝1：1	20〜60mg/日分2
	アロチノロール塩酸塩	アルマール®	$α$遮断作用：$β$遮断作用＝1：8	10〜20mg/日
	カルベジロール	アーチスト®	$α_1$遮断作用：$β$遮断作用＝1：8	10〜20mg/日
	ラベタロール塩酸塩	トランデート®	$α_1$遮断作用：$β$遮断作用＝1：5 早朝高血圧に効果的	150mg/日（最大450mg/日）
$α_2$作動薬	クロニジン塩酸塩	カタプレス®		225〜450μg/日分3（最大900μg/日）
	メチルドパ	アルドメット®	妊娠高血圧に頻用される	250〜2,000mg/日（250〜750mg/日より開始）

● 薬剤の副作用

① βブロッカー

　Chapter1「心不全」を参照

② αブロッカー

　強力な血管拡張作用により生じる立ちくらみとめまいが代表的です．特に初回投与時に顕著で，初回投与現象（first dose phenomenon）と呼ばれます．これを予防するために，少量から徐々に投与量を増量します．

③ $α_2$作動薬

　中枢作用が代表的で，眠気・だるさ・めまい・不安などがみられま

す．カタプレス®では過敏症状，アルドメット®ではまれですが，肝炎・血液障害・全身性エリテマトーデス（SLE）様症状などがみられることがあります．

●薬剤の禁忌
①βブロッカー
　気管支喘息，代謝性ケトアシドーシス（糖尿病ケトアシドーシス），徐脈性不整脈（房室ブロック，洞房ブロック，洞不全症候群），うっ血性心不全（心原性ショック），肺高血圧に伴う右心不全，妊婦
②αブロッカー
　代謝性ケトアシドーシス（糖尿病ケトアシドーシス），うっ血性心不全（心原性ショック），肺高血圧に伴う右心不全，徐脈性不整脈（房室ブロック，洞房ブロック，洞不全症候群），妊婦
③αβブロッカー
　気管支喘息，代謝性ケトアシドーシス（糖尿病ケトアシドーシス），徐脈性不整脈（房室ブロック，洞房ブロック，洞不全症候群），うっ血性心不全（心原性ショック），肺高血圧に伴う右心不全，妊婦
④メチルドパ
　肝障害，非選択的MAO阻害薬投与中

理解を深めるためのステップアップ④　　　　　　　　　　　薬の作用機序

　交感神経系に作用する降圧薬は，2014年のガイドラインですべて第一選択薬から外れてしまいましたが，それでも需要がなくなったわけではありません．交感神経の受容体には主に，
　α_1受容体 ⇒ 平滑筋 ⇒ 平滑筋の収縮
　α_2受容体 ⇒ 交感神経終末 ⇒ ノルアドレナリンの放出を抑制
　β_1受容体 ⇒ 心筋 ⇒ 陽性変力作用，陽性変時作用
　β_2受容体 ⇒ 平滑筋 ⇒ 平滑筋の弛緩
の4つがあるのでした．したがって，β_1ブロッカー，α_1ブロッカー，α_2受容体作動薬が高血圧の治療に使われます．
　β_1ブロッカーは，投与開始直後は心臓の陰性変力作用・陰性変時作用による心拍出量減少により降圧作用を示しますが，長期間投与すると心筋細胞でβ_1受容体数が減少する「ダウンレギュレーション」と呼ばれる現象で作用が減弱します．それにもかかわらず降圧作用は持続します．これは主に腎臓傍糸球体細胞のβ_1受容体ブロックによるレニン分泌の抑制の腎作用，および交感神経終末におけるβ_1受容体ブロックによるノルアドレナリン分泌抑制の中枢作用によるものです．交感神経の緊張に伴う高血圧，例えば白衣高血圧などでは有効と考えられます．
　α_1受容体を選択的に抑制する薬はまだないので，α_1ブロッカーとはいわずαブロッカーと呼びます．αブロッカーは，血管平滑筋のα_1受容体に作用して強力な血管拡張作用を示します．ところが，強い血管拡張作用

によりかえってめまい・起立性低血圧などの副作用を生じることから，2009年のガイドラインで第一選択薬から外れています．ただし，早朝血圧の低下にはαブロッカーの就寝前投与が効果的です．

　$α_2$受容体作動薬には，αメチルドーパ（アルドメット®）とクロニジン（カタプレス®）があります．$α_2$受容体作動薬は，鎮静作用・抑うつ作用の中枢神経の副作用と唾液分泌抑制による口内乾燥のため最近ではあまり使われることがありません．ただし，αメチルドーパは妊婦に対する安全性が示されており，妊婦の高血圧にはいまだに使われることがあります．

3 高血圧の治療

高血圧治療のキホン

　高血圧は，心血管リスクと高血圧の程度により，高リスク群，中等リスク群，低リスク群に分けられます〔詳細は「高血圧治療ガイドライン2014」(http://www.jpnsh.jp/download_gl.html) 参照〕．生活習慣の修正を指導し，低リスク群では3ヵ月以内の指導でも140/90mmHg以上の場合，中等リスク群では1ヵ月以内の指導でも140/90mmHg以上の場合，高リスク群ではただちに降圧薬による治療を開始します（図5）．

　生活習慣指導とはどのようなことでしょう？　そんなのは当然じゃない，といわれるかもしれませんが，表3に示したように，減塩，野菜・果物の摂取/コレステロールや飽和脂肪酸の制限/魚油の積極的摂取，減量，運動，節酒，禁煙です．

　このなかにいくつか注意を要する事項があります．減塩6g/日以下だと，夏には熱中症のリスクが高くなることが問題となります．野菜・果物には

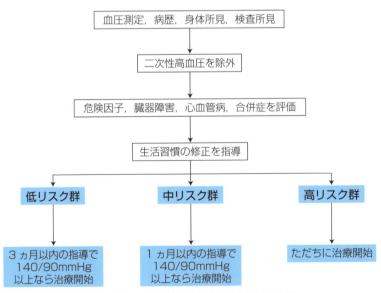

図5　高血圧治療のフローチャート（高血圧治療ガイドライン2014）

表3 高血圧患者における生活習慣の修正の指導（高血圧治療ガイドライン2014）

1. 減 塩	6g/日未満
2. 食塩以外の栄養素	野菜・果物の積極的摂取 コレステロールや飽和脂肪酸の摂取を控える 魚（魚油）の積極的摂取
3. 減 量	BMI（[体重kg]÷[身長m]^2）が25未満
4. 運 動	心血管病のない患者が対象で，中等度の有酸素運動を中心に定期的に（毎日30分以上を目標に）行う
5. 節 酒	エタノールで男性20～30mL/日以下，女性10～20mL/日以下
6. 禁 煙	

Kが豊富に含まれており，腸からのNa吸収に拮抗するので減塩の効果があります．ただし，重篤な腎疾患が伴う患者では，高K血症をきたすおそれがあるので，積極的な野菜・果物の摂取は推奨されません．肥満や糖尿病がある患者では，糖分の多い果物の積極的摂取は避ける必要があります．

薬剤選択のステップ①

　血圧が上がっただけでは人は死にません．血圧が上がったことに伴う脳梗塞，心血管イベント，腎障害などの合併症が原因で死に至ります．したがってこれらの合併症を減らす選択，イコールこれらによる死亡率を減らす選択，が良い選択といえましょう．すなわち，「降圧そのものが目標ではなく，生命予後の改善が目標」なのです．

　そこで，降圧薬選択の第1ステップでは，患者の高血圧以外の病態や背景をもとに降圧薬を選択します．例えば，心不全の治療では，ARBやACE阻害薬が第1選択薬になるので，心不全を合併した高血圧ではARBやACE阻害薬が良いこと，虚血性心疾患の治療ではβ-ブロッカーが第1選択薬になるので，虚血性心疾患を合併した高血圧ではβ-ブロッカーを選択しましょう，などとなります．これを系統的に整理した表が2014年のガイドラインで発表されています（表4）．これに従う降圧薬の選択を「ステップ1」あるいは「積極的適応」といいます．ポイントを整理すると；

■心保護を期待する高血圧⇒β-ブロッカー

　β-ブロッカーは，心不全・頻脈・狭心症・心筋梗塞後に積極的適応となっており，第1選択薬から外れることで「心保護薬」としての位置づけが逆にはっきりしたとポジティブにとらえることもできます．

表4 主要降圧薬の積極的適応

		Ca²⁺拮抗薬	ACE阻害薬/ARB	サイアザイド系利尿薬	βブロッカー
左室肥大		●	●		
心不全		×	●	●	●
頻脈		●*¹			●
狭心症		●			●
心筋梗塞後			●		●
CKD	タンパク尿（−）	●	●	●	
	タンパク尿（＋）		●		
脳血管障害慢性期		●	●	●	
糖尿病/メタボリック症候群			●		
骨粗鬆症				●	
誤嚥性肺炎			●*²		

*¹：ジヒドロピリジン誘導体以外，*²：ACE阻害薬
CKD：慢性腎疾患

■慢性腎疾患⇒ACE阻害薬/ARB

慢性腎疾患では，タンパク尿がない場合はCa拮抗薬・ACE阻害薬/ARB・サイアザイドは同等ですが，タンパク尿がある場合はACE阻害薬/ARBの方が腎機能維持効果が有意に良いという結果が出ています．

■糖尿病・メタボリック症候群⇒ACE阻害薬/ARB

（利尿薬・β-ブロッカーは×）

利尿薬とβ-ブロッカーは，新規発症の糖尿病をプラセボに比べて有意に増やすという結果が出ていることから，糖尿病・メタボリック症候群患者では避けます．

■骨粗鬆症⇒サイアザイド利尿薬，誤嚥性肺炎⇒ACE阻害薬

2009年のガイドラインでは，高齢者として一括りになっていたものが細分化されて，骨粗鬆症では，腎尿細管でのCa再吸収を促進することから，サイアザイド利尿薬，誤嚥性肺炎では，ACE阻害薬が咳嗽反射・嚥下反射を誘発することから推奨されます．

薬剤選択のステップ②

第一選択降圧薬は4タイプありますが，ACE阻害薬とARBは類似の作用を示すので，基本的には3タイプと考えていいでしょう．これらはどのように使い分けられるのでしょう．Try and errorのところもあるのですが，いくつか手がかりとなるヒントを紹介しましょう．

収縮期高血圧 vs 拡張期高血圧

ACE 阻害薬，ARB は拡張期高血圧に好まれます．心拍出量に作用する利尿薬は，収縮期高血圧に好まれます．心拍出量と血管抵抗の両方に作用する Ca 拮抗薬は，収縮期高血圧，拡張期高血圧の両方で好まれます．

高齢者 vs 若年者

高齢者では，動脈硬化による収縮期高血圧が多く，若年者では血管抵抗上昇に伴う拡張期高血圧が多い傾向があります．そこで，高齢者には利尿薬と Ca 拮抗薬，若年者には ACE 阻害薬/ARB，あと Ca 拮抗薬が好んで使われます．Ca 拮抗薬が降圧薬のなかで最も使われる頻度が高いのは，収縮期血圧 vs 拡張期血圧，高齢者 vs 若年者，などを考慮せずに使えるためかもしれません．

食塩感受性

前記したように，食塩感受性が亢進している高血圧では利尿薬が好まれます．それでは，どのような患者が食塩感受性高血圧なのでしょうか？これにも参考となるヒントがあります．高齢者，低レニン性の高血圧，インスリン抵抗性，糖尿病，慢性腎疾患（CKD）合併高血圧の場合は，食塩感受性の可能性を念頭に入れる必要があります．

血圧の日内変動

血圧には，日内変動があります（図6）．一般的なのがジッパー型と呼ばれるタイプで，夜間の血圧低下が 10％以上のものです．夜間に血圧が下がるのは，日中の活動により起こる Na 利尿によると考えられています．ノンジッパー型といわれるのは，夜間の血圧低下が 10％以下のものです．逆に夜間の血圧のほうが高いものを，逆ジッパー型といいます．また，日中血圧に比べて早朝血圧が 20mmHg 以上高いものをモーニングサージといいます．

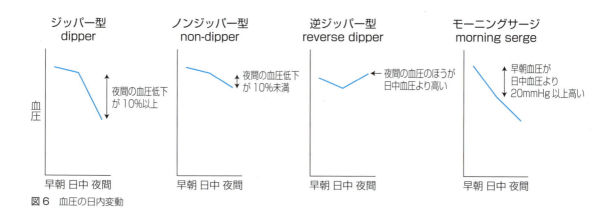

図6　血圧の日内変動

ノンジッパー型・逆ジッパー型では，日中のNa利尿が不足していると考えらえるので，利尿薬が利用されます．一般的なジッパー型では，1日の血圧を均等に下げるとされるACE阻害薬/ARB，Ca拮抗薬が使われます．モーニングサージでは，就寝前のαブロッカーが有効とされますが，高齢者では夜間トイレに起きたときにふらついて転倒するリスクがあるので，長時間型Ca拮抗薬を就寝前に投与することで代用することもしばしばあります．

降圧薬の併用

　降圧薬の単剤投与で血圧のコントロールの頻度を比べた，興味深い研究があります（図7）．これによると，プラセボでも25％の応答性があるので，この分を差し引くと単剤で血圧がコントロールされた割合は約1/3（32％）であり，残りの2/3の患者では降圧剤の併用が必要となります．

　降圧剤を併用する場合の考え方は，どうなっているのでしょう？ ACE阻害薬/ARB，Ca拮抗薬，利尿薬の併用を考えますが，拡張期高血圧患者，若年者ではACE阻害薬/ARB，収縮期高血圧患者，高齢者ではCa拮抗薬をまず投与するケースが多いようです．それで血圧がコントロールされない場合は，使用していないほうの薬，すなわちCa拮抗薬，あるいはACE阻害薬/ARBを加えます（図8）．それでもコントロールされない場合は，利尿薬を加えるという段階的投与法がとられることが多いようです．

　もちろん，食塩感受性高血圧の可能性が高いときには，利尿薬を第一選択にすることもあるように，ケースバイケースで柔軟に対応する必要があります．3剤でもコントロールされない場合は，第4の降圧薬として2009年のガイドラインであればβブロッカー，それ以前のガイドラインであればαブロッカーを加えることになりますが，最近ではアルドステロ

図7　降圧剤単剤の応答性
(Barry J, et al：Single-Drug therapy for hypertension in men：A comparison of six antihypertensive agents with placebo. N Engl J Med 328：914-921, 1993)

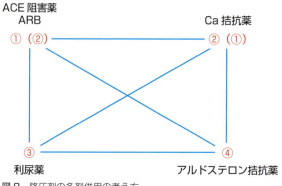

図8 降圧剤の多剤併用の考え方
（ ）外：拡張期高血圧，若年者，（ ）内：収縮期高血圧，高齢者

ン拮抗薬を第4の降圧薬として用いるケースが，特に欧米を中心に増えているようです．

Chapter 3
虚血性心疾患

1　虚血性心疾患とは

虚血性心疾患の分類の変化

　従来虚血性心疾患は，
　①狭心症：労作時狭心症，安静時（異型）狭心症，不安定狭心症
　②心筋梗塞
に大別されていました．これは疾患の結果，すなわち心筋壊死（梗塞）の有り無しに基づく分類です．ところが近年は，
　①慢性冠動脈疾患：労作時狭心症，安静時（異型）狭心症
　②急性冠症候群：不安定狭心症，心筋梗塞
の2つに大別されています．これは疾患の原因，すなわちアテローム性プラークが安定か不安定かに基づく分類です．安定なプラークと不安定なプラークでは治療法が異なるので，こちらのほうがより臨床に即した分類ということができるかもしれません．

慢性冠動脈疾患の病態生理

　慢性冠動脈疾患は，安定したアテローム性プラークにより心筋における酸素の需要と供給のバランスが崩れた状態です．心筋の酸素需要は，心拍数，心臓の収縮性，心臓にかかる負荷（専門的には「前負荷」「後負荷」といいます）の3つにより規定されます（図1左）．一方，酸素供給は冠血流量と血管内皮機能で決まってきます（図1左）．心筋の酸素需要に関してはChapter1「心不全」で説明したので，ここでは酸素供給について説明しましょう．

■冠血流量
　人は労作によって全身に送る血液を増やす必要が生じると，心臓が必要とする酸素量（＝酸素需要）も増えます（図1右上）．酸素需要は最大どのくらいまで増えることができるのでしょう？　参考となるのが，トレッドミル運動負荷試験の心拍数の目標値です．これは（220−年齢）とされており，最大心拍数の80〜90％にあたります．仮に40歳の人であれば，

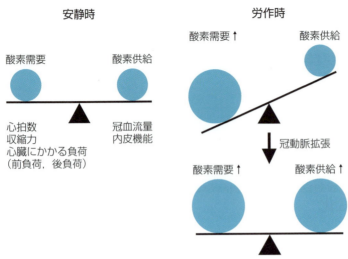

図1　酸素の需要と供給のバランス

　運動負荷試験の目標心拍数は220－40＝180/分となり，最大心拍数を逆算すると180÷(0.8〜0.9)＝200〜225/分となります．つまり，最大心拍数は正常心拍数（60〜80/分）の約3倍程度まで増加することができます．運動すると心拍数だけでなく心筋細胞の収縮能も増強します．これに伴って1個1個の心筋細胞の酸素需要も増えます．心拍数が3倍に増える程度の運動では，約1.5倍まで増えるといわれています．心臓全体の酸素需要は，

　　（心拍数）×（個々の心筋細胞の酸素需要）

で求めることができ，最大で

　3（心拍数の増加分）×1.5（個々の心筋細胞の酸素需要の増加分）＝4.5倍

より4.5倍程度まで増えることができます．それでは，この増えた酸素需要はどのように満たされるのでしょう？　これは，冠動脈の拡張です（図1右下）．冠動脈がどこまで拡張できるかを示すのが「冠血流予備能（coronary flow reserve：CFR）」であり，以下の式で求めることができます．

　　CFR＝最大冠血流量/安静時冠血流量

　健常者ではCFRは大体5程度とされています．労作時の酸素需要の増加分（4.5倍）より少し上に設定されています．人の身体は実にうまく設計されているものですね．

　慢性冠症候群の患者では，安定したプラークにより冠動脈が部分的に狭くなっていて，血流が減少しています．これだと安静時にも心臓の酸素需要を満たすことができないので，安静時から必要な分だけ冠動脈が拡張しています．仮に冠動脈の血流が50％減少していると仮定して考えてみましょう．この場合，安静時にも冠動脈が2倍拡張して必要な酸素量を満たしています．この慢性冠動脈疾患の人が，心拍数が2倍に増える労作

をしたらどうなるでしょう？

　酸素需要＝2(心拍数の増加分)×1.25(個々の心筋細胞の酸素需要の増加分)＝2.5倍

となります．冠動脈は5倍拡張できるので，0.5(50%狭窄なので)×5＝2.5でちょうど酸素需要を満たすことができ，狭心痛はギリギリ起こりません．ところがこれ以上の労作をすると酸素不足となり，狭心痛が出現するのです．これが労作性狭心症の病態生理です．ちなみに，心臓の知覚神経の求心路（中枢に向かう経路）は交感神経の遠心路（末梢に向かう経路）と一緒に走行して「心臓神経」と呼ばれます．糖尿病などで末梢神経障害があると，知覚神経も障害されて，虚血になっても狭心痛を感じない「無痛性虚血」となるので，注意しましょう．

血管内皮機能

血管の緊張度は，「血管収縮作用」と「血管拡張作用」の2つの対立する作用によって調節されています．それぞれに関係する因子を次に示します．

- 血管収縮作用：血管平滑筋の交感神経α_1受容体刺激
- 血管拡張作用：血管平滑筋の交感神経β_2受容体刺激
  　　　　　　血管内皮細胞から分泌される一酸化窒素（nitric oxide：NO）

血管収縮因子は，主に血管平滑筋で働きます．一方，主要な血管弛緩因子の一酸化窒素は血管内皮細胞に由来します．正常では，血管収縮因子と

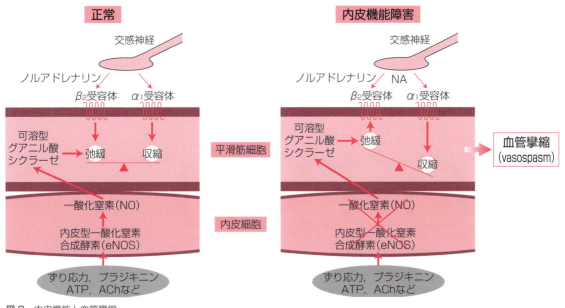

図2　内皮機能と血管攣縮

血管拡張因子のバランスがとれていますが（図2左），血管内皮障害があると血管弛緩因子の一酸化窒素が産生されないので，このバランスが崩れて血管攣縮が起こることがあります（図2右）．これが異型狭心症の病態生理です．

急性冠症候群の病態生理

急性冠症候群の発症は，アテローム性プラークの不安定化と破綻が原因となります．アテローム性プラークが不安定プラーク・プラーク破綻となるのには，
　①血管壁に取り込まれたコレステロールが酸化ストレスを受けマクロファージに取り込まれること
　②酸化コレステロールを取り込んだマクロファージが泡沫化すること
　③マクロファージの泡沫化により炎症が惹起されること
の3つが関係します（図3）．さらにプラークが破綻すると，そこに血小板が凝集し，これに続いて血液凝固が誘導され血栓が形成されます．

アテローム性プラークの不安定化・破綻が起こっても，内腔が完全には閉塞されておらず，まだ心筋障害が起こっていない状態を不安定狭心症と呼びます．臨床的には，狭心症性胸痛の安静時の出現，新たな出現，あるいは頻度と重症度の加速化，と定義されます．血栓により血管内腔が閉塞し，これが数時間持続すると心筋障害が起こり，心筋梗塞へと進展します．なお，不安定狭心症は，無治療だと4〜6週間の間に15〜20％が心筋梗塞に進展するといわれています．

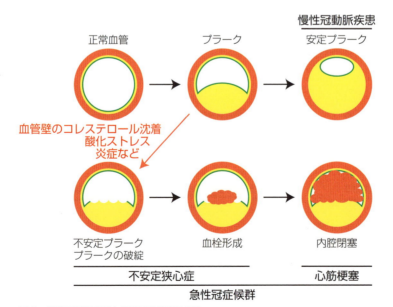

図3　慢性冠動脈疾患と急性冠症候群の分枝

Column：ICU 勤務・サッカーワールドカップ観戦も心筋梗塞の危険因子

ストレスが心筋梗塞の危険因子となることはよく知られた事実です．それはなぜでしょう？　ストレスを受けると交感神経が緊張します．すると骨髄の交感神経 β_3 受容体（β 受容体は β_1・β_2 だけではないんですね）に作用して，白血球を循環血中に動員します．白血球は動脈硬化巣に遊走し炎症を惹起し，アテローム性プラークの不安定化を起こします．面白いデータがあります．研修医が ICU 勤務によってストレスを受けると，末梢血液中の白血球数が増加します．ICU に勤務することは，自らを心筋梗塞のリスクに曝してでも心筋梗塞の患者を救おうとする犠牲精神のあらわれのようです．

また，ワールドカップサッカーにまつわる面白いデータもあります．図 a は 2006 年ドイツワールドカップでドイツ国内における心血管イベントの発症頻度をワールドカップ前後の 5～7 月の間でみたものです．ワールドカップのない 2003 年・2005 年では大きな変化はありませんが，ワールドカップ年の 2006 年は心血管イベントがいくつかのピークを示しており，これがドイツの試合がある日に一致しています．面白いことに，1 次リーグ突破が決まった後のグループリーグ第 3 戦ではイベントは比較的少なく，準々決勝のアルゼンチン戦，準決勝のイタリア戦などの重要な試合でピークとなっています．準決勝でイタリアに敗戦した後の 3 位決定戦ではもうどうでもよくなったのか，心血管イベントは比較的少なくなっています．精神的ストレスの強度は心筋梗塞発症の頻度と密接に相関するのですね．

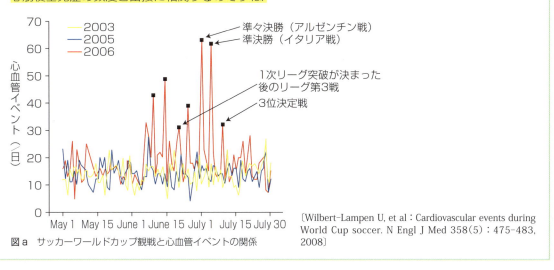

図 a　サッカーワールドカップ観戦と心血管イベントの関係

〔Wilbert-Lampen U, et al：Cardiovascular events during World Cup soccer. N Engl J Med 358(5)：475-483, 2008〕

2 慢性冠動脈疾患で用いる薬剤の種類と使い方・治療

　虚血性心疾患の病態生理が理解できたところで，その薬物治療の解説に進みましょう．まずは，慢性冠動脈疾患から始めます．慢性冠動脈疾患は，安定したアテローム性プラークにより酸素供給が減少した状態です．安静時には，冠動脈が拡張して必要な酸素供給は満たされますが，労作時に心臓の酸素需要が増加するとアンバランスが生じ，酸素供給不足（＝虚血）となるのでした（図4）．

　治療としては，酸素需要を減らす方法あるいは酸素供給を増やす方法のいずれかが考えられます．酸素供給を増やすのは，冠動脈バイパス手術やカテーテルによる冠動脈再建術が行われることが多く，薬物治療は主に酸素需要を減らすことを主眼にしています．これには，主にβブロッカー，Ca拮抗薬，硝酸薬が用いられます．労作性狭心症ではβブロッカーが第一選択薬ですが，βブロッカーは$β_2$受容体を介する血管拡張を抑制する可能性があり，異型狭心症をかえって悪化させることがあります．そこで，異型狭心症ではCa拮抗薬が第一選択薬となります．βブロッカーはChapter1「心不全」で，Ca拮抗薬はChapter2「高血圧」のところですでに扱っているので，ここでは硝酸薬について説明したいと思います．

> **MEMO**
> 慢性冠動脈疾患の薬物治療
> ・βブロッカー：労作性狭心症の第一選択薬
> ・Ca拮抗薬：異型狭心症の第一選択薬
> ・硝酸薬

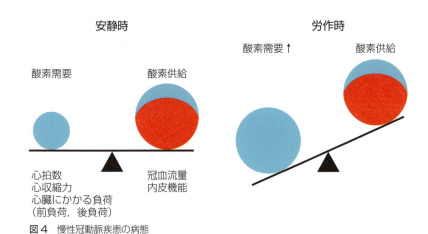

図4　慢性冠動脈疾患の病態

硝酸薬

●よく使用される硝酸薬

タイプ	一般名	商品名	特徴	基本用量
高力価硝酸薬	経口ニトログリセリン	ニトログリセリン® ニトロペン®	即効性, 強い揮発性	1回0.3～0.6mg 数分間で効果のあらわれない場合は0.3～0.6mg追加
	静注用ニトログリセリン	ミリスロール®		0.1～0.2μg/kg/分で開始, 5分ごとに0.1～0.2μg/kg/分増量, 1～2μg/kg/分で維持
	吸入ニトログリセリン	ミオコール®		1回1噴霧 (0.3mg), 数分間で効果があらわれない場合は1噴霧 (0.3mg) 追加
	貼付用ニトログリセリン	ミリステープ® ニトロダームTTS®	持続性経皮吸収型製剤	1回1枚 (5mg), 1日2回 1回1枚 (25mg), 1日1回
低力価硝酸薬	硝酸イソソルビド	ニトロール® ニトロール®R フランドル®		内服：1回5～10mg, 1日3～4回 スプレー：1回1噴霧 (1.25mg), 効果不十分には1回噴霧に限り追加 注射：2～5mg/時
	硝酸イソソルビド徐放剤	ニトロール®R フランドル®		1回20mg, 1日2回 テープ：1回1枚 (40mg), 1～2日に1回

●薬剤の副作用

　硝酸薬の副作用は，急激な血圧低下とこれに伴う反射性の頻脈，頭部の血管拡張による頭痛，頭重感，めまいが主なものです．まれにメトヘモグロビン血症を生じることもあります．

●薬剤の禁忌

　重篤な低血圧，心原性ショック，閉塞隅角緑内障，頭部外傷または脳出血，高度な貧血，硝酸系薬過敏症，PDE-4阻害薬投与中

理解を深めるためのステップアップ① ────── 薬の作用機序

　血管平滑筋の緊張は，主に細胞内Ca濃度とサイクリックヌクレオチド（cAMP，cGMP）濃度で決まっており，細胞内Ca濃度が上がると収縮，サイクリックヌクレオチド濃度が上がると弛緩します（⇒39頁参照）．硝酸薬は，cGMP濃度を上昇させることで血管平滑筋の弛緩を起こします．

硝酸薬はその化学構造に亜硝酸塩（NO$_2$）をもちますが，それ自体では血管を拡張する作用を発揮できません（図5）（硝酸薬は亜硝酸塩をもつことから「亜硝酸薬」と呼ばれることもあります）．これが体内で代謝されて一酸化窒素（NO）を放出することで作用します．このように薬自体は活性がなく，体内における代謝物が活性をもつものを「プロドラッグ」と呼びます．

　それでは，硝酸薬の代謝はどのように行われるのでしょうか？　これには2つの機構が知られています．ニトログリセリンは，ミトコンドリアのALDH2という酵素によって代謝されて一酸化窒素を放出します．他の硝酸薬は，小胞体に存在する薬物代謝酵素CYP450により代謝されて一酸化窒素を放出します．ALDH2は放出された一酸化窒素により不活性化されるという特徴をもっています．

> **MEMO**
> プロドラッグ硝酸薬の代謝
> ・ニトログリセリン：ミトコンドリアのALDH2
> ・ニトログリセリン以外：小胞体の薬物代謝酵素CYP450

■ニトロ耐性

　硝酸薬を臨床で用いるとき，しばしば問題となるのが長期間使用により耐性が生じ効果が弱くなることです．これを「ニトロ耐性」と呼びます．ニトロ耐性はニトログリセリンでは強く，それ以外では弱いことが知られています．ニトロ耐性のメカニズムには複数の機序が関与するようです．その1つがニトログリセリンがミトコンドリアで代謝され放出された一酸化窒素によるALDH2の不活性化です．そのため，ニトロ耐性はニトログリセリンでは強く，それ以外では弱いのです．ニトログリセリンを持続使用していると，心筋梗塞が発症したとき重症化することも知られています．このため，硝酸薬の長期投与はできるだけ避け，長期投与が必要な場合ではニトログリセリン以外の使用が推奨されています．

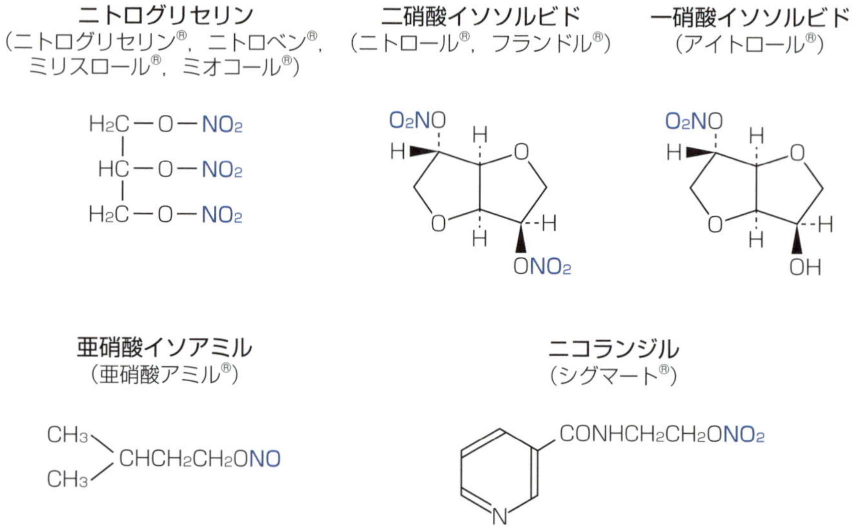

図5　硝酸薬の化学構造

ニコランジルは，硝酸薬の性質とカリウムチャネルオープナーの性質を併せもちハイブリッド薬と捉えられています．ニコランジルも硝酸薬を長期投与する場合は好んで使われます．

Column：酒飲みとニトログリセリンの感受性の関係

　ALDH2 というと「あっ，それ聞いたことがある」という人も多いのではないでしょうか？　飲酒したとき，エタノールから代謝されてできるアルデヒドが酒酔いの原因となります．このアルデヒドをエーテルに代謝して，悪酔い・二日酔いを防いでくれる酵素が ALDH2 です．

　ALDH2 には有名な遺伝子多型（用語解説参照）があります．野生型を＊1，多型を＊2 と呼びます．＊2 は ALDH2 の活性が＊1 の 1/16 しかありません．遺伝子は 2 つあるので，両方とも＊1 の野生型 ALDH2（＊1/＊1）の人はお酒を飲んでもへっちゃらです．＊1/＊2 の多型のヘテロの人はお酒を飲むとすぐ顔が赤くなり，＊2/＊2 の多型のホモの人はお酒が飲めません（下戸）．

　ALDH2 がアルデヒドの分解とニトログリセリンの代謝の両方に関係するのであれば，お酒飲みとニトログリセリンの効き方に関係はあるのでしょうか？　答えは Yes のようです．ALDH2＊1/＊1 の人はニトログリセリンの感受性が高く，ALDH2＊2/＊2 の人はニトログリセリンの感受性が低いことが報告されています．

用語解説

遺伝子多型

　ゲノムは ACGT の塩基の配列からできています．ヒトでは，全ゲノムは約 30 億塩基対からなります．これらは万人に共通ではなく，人類全体では約 3,000 万塩基対に違いがあるとされています．このゲノム配列の違いを遺伝子多型と呼びます．これは人類全体の数であり，個人個人ではさらにこの 1/10 の約 300 万個に遺伝子多型をもっています．これが，個人個人の個性・体質や疾患のかかりやすさ，薬物応答性などを規定します．

3 急性冠症候群で用いる薬剤の種類と使い方・治療

　図3で示したように，急性冠動脈疾患への進展にはコレステロールの血管壁への沈着，酸化ストレス，炎症，さらに血栓形成が関与します．このため急性冠症候群では，慢性冠動脈疾患に対する治療（βブロッカー，Ca拮抗薬，硝酸薬）に加えて，脂質異常症治療，酸化ストレス・炎症に対する対策，抗血小板治療・抗凝固療法，さらに心筋梗塞では血栓溶解療法が行われます．抗血小板治療，抗凝固療法，血栓溶解療法はChapter5「血栓症」の薬物治療のところで解説するので，ここででは脂質異常症の薬物治療と抗炎症・抗酸化の薬物治療に関して説明します．

> **MEMO**
> **急性冠症候群の治療薬**
> ・一般的な虚血性心疾患治療薬（βブロッカー，Ca拮抗薬，硝酸薬）
> ・脂質異常症治療薬
> ・抗血小板薬・抗凝固薬
> ・抗炎症・抗酸化治療薬
> ・血栓溶解薬 ⇐ 心筋梗塞に対して

脂質代謝

　脂質は水に溶けないので，血中を運ばれるときアポ蛋白質と結合してアポリポ蛋白質として存在します．アポリポ蛋白質は比重によって分類されており，比重の低いほうから（＝脂質の多いほうから），
　　カイロミクロン ⇒ VLDL ⇒ IDL ⇒ LDL ⇒ HDL
の順番になっています．脂質代謝は，3つのサイクル—カイロミクロンサイクル，LDLサイクル（VLDL・IDL・LDLの輸送），HDLサイクル—をベースに理解しましょう．

▍カイロミクロンサイクル（図6）

　カイロミクロンサイクルは，腸管から体内（肝臓）へコレステロールを運搬する役割を果たします．食事として摂取されるトリグリセリド，コレステロールなどの脂質は，腸管粘膜上皮細胞内でカイロミクロン（トリグリセリド：コレステロール＝10：1）となり，胸管リンパ管より循環血液中に取り込まれます．循環血液中でトリグリセリドはリポ蛋白リパーゼ（LPL）により分解され遊離脂肪酸となり，脂肪・筋肉などに取り込まれます．残ったコレステロールに富むカイロミクロンは「カイロミクロンレムナント」と呼ばれ，レムナント受容体を介して肝臓に取り込まれます．主なアポ蛋白質はApoCで，これがレムナント受容体との結合に関与します．肝臓から胆汁中に放出されたコレステロールも，腸管からカイロミクロンとして再吸収されます．これを「腸管循環」と呼びます．

■LDL サイクル（図7）

LDL サイクルは，肝臓から末梢へコレステロールを運搬する役目を担います．肝臓で合成されたコレステロールは，トリグリセリドと一緒に超低比重リポ蛋白（Very Low Density Lipoprotein：VLDL）として循環血液中に放出されます．VLDL のコレステロール：トリグリセリドは 1：5 であり，トリグリセリドが LPL により分解され遊離脂肪酸は脂肪・筋肉に取り込まれ，VLDL はコレステロールの割合が徐々に増え，中間比重リポ蛋白（Intermediate Density Lipoprotein：IDL），低比重リポ蛋白（Low Density Lipoprotein：LDL）と変化します．LDL の主要なアポリポ蛋白質は ApoB と ApoE であり，これを使って LDL 受容体を介して末梢の細胞に取り込まれます．副腎皮質や生殖細胞ではステロイドホルモン合成の材料として使われ，その他の細胞でも細胞膜合成の材料などとして使われます．残った LDL は LDL 受容体を介して肝臓に取り込まれます．LDL 受容体の量はそれほど多くありません．LDL 量が多くなると容易に肝臓でも取り込みきれなくなり，すると LDL は血管壁に沈着します．血管壁に沈

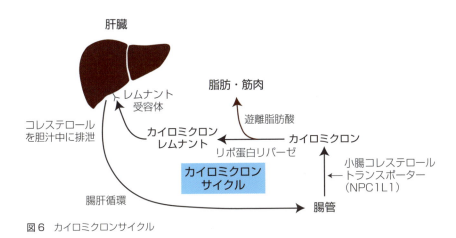

図6　カイロミクロンサイクル

Column：コレステロール値は遺伝性が強い

外来をしていると，健康診断で高脂血症を指摘された人が紹介されてくることがしばしばあります．患者さんから，「私は太ってもいないし，肉類も極力控えているし，酒とタバコもしないし，運動だって人以上にしているのに，どうしてコレステロールが高いんですか？」とよく聞かれます（嘆かれます？）．これに対する答えを与えてくれる興味深い研究があります．

イタリアのサルデーニャ島は，シチリア島に次いで地中海で 2 番目に大きな島です．気候が温暖でシチリア島のようにイタリアマフィアもいないため，人の移動が少ないことで有名です．この人が移動しないことを利用して，身長・体重，性格，IQ を含めさまざまな因子の遺伝性が調べられました．血液検査のなかでは，遺伝性が強かった因子が 2 つありました．1 つは白血球，もう 1 つが LDL コレステロールです．LDL コレステロールは，遺伝的に規定された体質に依存するところが大なのです．

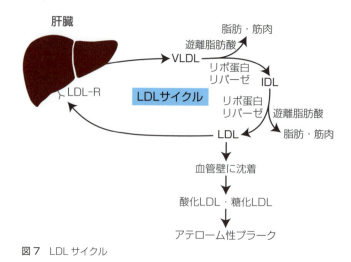

図7 LDLサイクル

着したLDLが酸化修飾（酸化LDL）や糖修飾（糖化LDL）を受けると，マクロファージに取り込まれ，炎症性サイトカインの放出，血管平滑筋細胞の遊走・増殖などを引き起こし，アテローム性プラークの形成，不安定化が引き起こされます．

　酸化修飾するのは，白血球から放出されるミエロペルオキシダーゼと呼ばれる酵素です．コラムでも書いたように，ストレスが働くと骨髄から白血球が末梢血中に動員されるのでした．このため，ストレスは動脈硬化の誘因となるのです．糖修飾は，血糖が高いと起こります．糖尿病が動脈硬化のリスクとなることはよく知られていますね．

■HDLサイクル（図8）

HDLサイクルは，末梢から肝臓にコレステロールを運搬する役目を果たします．これを「コレステロール逆輸送」と呼びます．HDLは肝臓で合成されますが，肝臓で合成されるHDLはほとんどコレステロールを含まずアポリポ蛋白のApoAだけからなります．これを新生HDLと呼びます．

　新生HDLは末梢の細胞，特にマクロファージからコレステロール輸送体のABCAを介してコレステロールを引き抜き，コレステロールを少量含んだ小さな原始型HDL（HDL_3）となります．さらにコレステロールをため込むためにコレステロールエステル化し，空いたスペースに別のコレステロール輸送体ABCGを介してコレステロールを引き抜き，大きな成熟したHDL（HDL_2）となります．成熟したHDLは肝臓にスカベンジャー受容体を介して取り込まれます．また，一部はLDLサイクルのなかにあるVLDLとの間でコレステロールエステル輸送蛋白質（CETP）を介して，コレステロールをVLDLに渡し，トリグリセリドをVLDLから受け取りト

MEMO

アポ蛋白質
・カイロミクロン：ApoC
・VLDL・IDL・LDL：ApoB，ApoE
・HDL：ApoA

脂質代謝
・カイロミクロンサイクル：腸管−肝臓間のコレステロール輸送
・LDLサイクル：肝臓から末梢へのコレステロール輸送
・HDLサイクル：末梢から肝臓へのコレステロール逆輸送

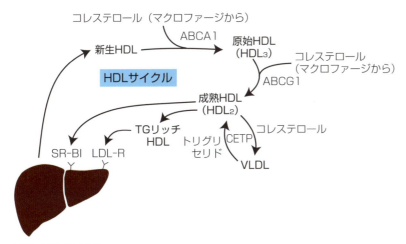

図8 HDLサイクル
ABCA1，ABCG1：コレステロール輸送体，LDL-R：LDL受容体，SR-B1：スカベンジャー受容体B1，TG：トリグリセリド

リグリセリドリッチHDLとなります．トリグリセリドリッチHDLは，LDL受容体を介して肝臓に取り込まれます．肝臓に取り込まれたコレステロールは，胆汁中に排出されます．これがコレステロールの逆輸送です．

脂質異常症の薬物治療

脂質異常症は，高LDL血症，低HDL血症，高トリグリセリド血症です．高LDLと低HDLは心血管イベントの相関が証明されています．高トリグリセリドに関するデータは議論の残るところです．大規模研究では，他のリスクを補正すると高トリグリセリドには心血管イベントとの相関は認められませんでしたが，最近ではこれに反論する研究結果，あるいは日本人では関連するという報告なども散見されます．

スタチン

高LDLの治療薬といったら，なんといってもHMG-CoAレダクターゼ阻害薬，通称スタチンでしょう．図9はコレステロール合成経路を示したものです．このなかで，HMG-CoAからメバロン酸への変換が律速段階であり，これを触媒する酵素がHMG-CoAレダクターゼです．スタチンは同酵素を阻害する薬物の総称です．

●よく使用されるスタチン

タイプ	一般名	商品名	特徴	基本用量
ウィークススタチン	プラバスタチン	メバロチン®	水溶性	20〜30mg/日（最大60mg/日）
	シンバスタチン	リポバス®	脂溶性	5mg/日（最大20mg/日）
	フルバスタチン	ローコール®	脂溶性	20〜30mg/日（最大60mg/日）
ストロングスタチン	アトルバスタチン	リピトール®	脂溶性	10mg/日（最大20mg/日）
	ピタバスタチン	リバロ®	脂溶性	1〜2mg/日（最大4mg/日）
	ロスバスタチン	クレストール®	水溶性	2.5〜5mg/日（最大10mg/日）

●薬剤の副作用

　肝毒性と筋障害が代表です．肝障害としては，3％未満の症例で肝トランスアミラーゼ値が標準上限値の3倍以上に上昇します．筋障害は0.17％の症例でみられます．なかでも，筋障害は横紋筋融解症などの重篤な症状を呈することがあり，100万例に1例の割合で死亡が起こります．

　メバロン酸からコレステロールとは別ルートでコエンザイムQ10が合成されます．コエンザイムQ10はミトコンドリアで酸化的リン酸化の補酵素として働き，これが欠乏するとミトコンドリア機能が低下します．ミトコンドリアが豊富で特に重要な働きをしているのが筋肉なので，スタチンによってコエンザイムQ10の合成が阻害されると筋肉に影響が強く表れるのです．

●薬剤の禁忌

　重篤な肝障害，妊婦，授乳婦では禁忌です．

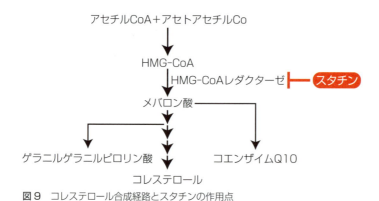

図9　コレステロール合成経路とスタチンの作用点

理解を深めるためのステップアップ②　　　　　　　　薬の作用機序

　スタチンは，コレステロール合成を阻害するためLDLを低下させると

考えられがちですが，実は正しくありません．肝臓でコレステロール合成が阻害されると，「コレステロールが足りませんよ」というSOSシグナルが発せられて，ステロール応答エレメント結合蛋白質SREBPと呼ばれる転写因子が産生されます．

　SREBPはプロモーター領域にステロール応答エレメントをもった遺伝子の転写を活性化します．LDL受容体遺伝子もステロール応答領域をもっており，SREBPによって転写が活性化されます．これによって，==LDL受容体の発現量が増え，血中から肝臓へのLDL取り込みが増えるので血中LDLが低下します．==LDL受容体の量はあまり多くなくて，血中のLDLがそれを超えると血管に沈着することは説明しましたが，==スタチンはLDL受容体の量を増やすことが作用機序==なのです．

　わが国で発売されているスタチンは6種類あり，水溶性と脂溶性，またストロングスタチンとウィークスタチンなどに分けられます．筋肉や血管内皮細胞などには脂溶性スタチンは取り込まれますが，水溶性スタチンは取り込まれません．したがって，血管内皮細胞などで作用する多面性効果は脂溶性スタチンのほうが強いとされています．その反面，筋肉の障害は脂溶性スタチンのほうが強くなっています．

スタチン以外の脂質異常症治療薬

　小腸からのコレステロール吸収は，小腸コレステロールトランスポーター NPC1L1（Niemann-Pick C1-like 1）を介して行われます．Neimann-Pick病は，診たことがある人は多くないでしょうが，医師国家試験では必須問題なので耳にしたことがある人は少なくないかもしれません．Niemann-Pick病は脂質代謝異常疾患で，原因遺伝子にNPC1とNPC2があります．

●よく使用される脂質異常症治療薬

タイプ	一般名	商品名	特徴	基本用量
小腸コレステロールトランスポーター阻害薬	エゼチミブ	ゼチーア®	スタチンだけで効果不十分の場合に併用することが多い	10mg/日

●薬剤の副作用
　便秘・下痢などの消化器症状が出ることがあります．

●薬剤の禁忌
　特になし

理解を深めるためのステップアップ③ ―――― 薬の作用機序

　NPC1 はエンドソーム-リソソーム系の脂質トランスポーター，NPC2 はその調節因子です．小腸において NPC1 類似のトランスポーター NPC1L1 の発現が同定され，後にこれがコレステロール吸収を担っていることが明らかとなりました．

　小腸コレステロールトランスポーター NPC1L1 の拮抗的阻害薬エゼチミブ（ゼチーア®）は，胆汁性あるいは食事性コレステロールの吸収を阻害します．単独投与では，LDL を 18％程度低下させるにすぎませんが，スタチンとの併用により顕著な LDL 低下作用を示します．スタチンはコレステロール合成を阻害し，エゼチミブはコレステロール吸収を阻害するので，お互いに相補的に働くのでしょう．

CETP 阻害薬

　低 HDL 血症が心血管イベントの危険因子となることは周知の事実です．そこで，HDL を上げる薬物の開発が期待されています．スタチンにも HDL 上昇作用があることが知られていますが，その程度は 20〜30％と強くありません．そこで標的分子として注目されたのが HDL のコレステロールと VLDL のトリグリセリドを交換する CETP です．これを阻害すると HDL が上昇することが予想されます．

理解を深めるためのステップアップ④ ―――― 薬の作用機序

　欧米の大手製薬会社がこぞって CETP 阻害薬を開発し，HDL を 70〜140％上昇させるという劇的な効果が得られました．ところが，冠動脈リスクの軽減効果を検討した ILLUMINATE 試験（Investigation of Lipid Level Management to Understand its Impact in Atherosclerosis Events,

Column：エゼチミブがワルファリン作用を増強

　ワルファリンはビタミン K 依存性抗凝固薬です．肝臓におけるビタミン K 濃度が高くなると作用が弱くなり，低くなると作用が強くなります．ビタミン K は，ビタミン A，ビタミン D などと同様に脂溶性ビタミンで生体内では合成することはできません．生体内のこれらの濃度は食事性に摂取する量に依存します．それでは，これらを小腸から吸収する経路は何でしょう？
　実は，これは最近まで不明でした NPC1L1 であることがわかりました．したがって，NPC1L1 を阻害するエゼチミブはビタミン K の吸収も阻害するので，肝臓でのビタミン K 濃度が低下し，ワルファリンの作用が増強するのです．脂質異常症と心房細動はしばしば合併し，この 2 剤を併用することは少なくないので，両者の相互作用は覚えておきたいところです．

2007年) の臨床試験結果は意外なものでした. 12ヵ月の CETP 阻害薬 torcetrapib 投与により HDL コレステロールは 72.1% 上昇したにもかかわらず, 心血管イベント発症率, 全原因死亡率とも下がるどころか有意に増加してしまいました.

また, 別の CETP 阻害薬 anacetrapib を用いた DEFINE 試験 (Determining the Efficacy and Tolerability of CETP Inhibition with Anacetrapib, 2010年) でも, 心血管イベントの有意な減少はみられませんでした. CETP 阻害薬として2剤を用いた臨床治験が今でも進行中であり, その結果を待たないと CETP 阻害薬の正確な評価は下せません. しかし, 「機能不全 HDL (dysfunctional HDL)」なる概念が提唱されたことから考えて, 懐疑的な見方が強いようです.

PCSK9 阻害薬

CETP に変わって新しく脂質異常症治療の標的分子として注目を集めているのが, PCSK9 です.

理解を深めるためのステップアップ⑤ ―――――――― 薬の作用機序

PCSK9 は LDL 受容体を分解することで, 循環血中から LDL の除去が過剰とならないように調節をしています. スタチンで肝臓でのコレステロール合成を抑制されると,「コレステロールが足りませんよ」という信号として SREBP が産生されることは説明しました. SREBP はステロール応答エレメントをもった LDL 受容体遺伝子の転写を活性化するのでしたが,

> ### Column : 機能不全 HDL (dysfunctional HDL)
>
> CETP 阻害薬の結果を受けて, HDL も一様ではなく心血管イベントを増強する HDL があることが指摘されるようになり, 機能不全 HDL と呼ばれています. HDL の主要な作用はコレステロールの逆輸送ですが, この機能がほとんどない HDL があるようです. 正常では, LDL は酸化修飾を受けこれが悪影響を及ぼしますが, HDL は酸化修飾を受けにくい性質をもっています. ところが, HDL も酸化修飾されると悪影響を及ぼすことがわかってきており, これが機能不全 HDL の1つと考えられています.
>
> また, HDL は図8に示したように, 新生 HDL ⇒ 原始 HDL (HDL_3) ⇒ 成熟 HDL (HDL_2) とコレステロールを取り込んでサイズが徐々に大きくなります. この大きさとの関係が示唆されています. 小さな HDL はコレステロールを細胞から引き抜く能力, すなわちコレステロール逆輸送能が高いが, 大きな HDL はこれ以上コレステロールを引き抜くことができず, 逆に新生 HDL ができるのを邪魔していることから, 大きな HDL は機能不全 HDL とする考えです. CETP 阻害薬は, 予想通り成熟 HDL (HDL_2) を主に増加させます. 運動が心血管イベントの予防によいこと, HDL を上げることは知られていますが, 運動で上昇するのは小さな HDL (HDL_3) であることは合点がいく話です.

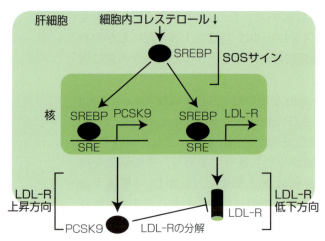

図10 LDL受容体とPCSK9の相互作用

PCSK9遺伝子もステロール応答エレメントをもっており，転写が活性化されます（図10）．つまり，肝細胞におけるコレステロールが低下すると，コレステロールを取り込もうとするLDL受容体とこれを邪魔しようとするPCSK9の両方の産生が増えるという不思議な現象が起きるのです．これは，コレステロール取り込みが過剰とならないように微調整する仕組みと考えることができます．

LDLが極端に低い家系でPCSK9の遺伝子変異が同定されたこと，PCSK9の遺伝子多型が脂質異常症の遺伝的リスクとなること，スタチンを服用したときLDL受容体とPCSK9の転写活性化のどちらが強いかによってスタチンの効果に違いがあること，などPCSK9の重要な役割が最近次々に明らかになってきました．そこで，PCSK9阻害薬の開発が進められ，臨床治験のフェーズ2までが終わり良好な成績が得られています．

Column：心筋梗塞を規定する意外な遺伝的背景

近年，コモン疾患と関連する遺伝子多型を探索する全ゲノム相関解析（Genome-Wide Association Study：GWAS）と呼ばれる研究が一世を風びしています．GWASは，仮説フリーのアプローチなので予想外な遺伝的リスクが同定されることがしばしばあります．心筋梗塞のGWASでも予想外の遺伝的リスクが同定されました．欧米で行われたGWASですでに50以上の心筋梗塞と関連する遺伝子多型が同定されています．そのうち6番目に関連が強いのがABO遺伝子です．血液型のABOを決める遺伝子で，O型の人は心筋梗塞だけでなく脳梗塞にもなりにくいことが示されました．最近では，COVID-19の重症化に関する遺伝的リスクとして，前出のACE2とともにABO遺伝子が同定されました．COVID-19では，血栓症が重症化の一因なので，心筋梗塞と同様にO型の人が重症化のリスクが若干低いようです．

このような遺伝的リスクは，人種によってしばしば異なります．日本人で行われたGWASで最も心筋梗塞と関連が高かったのは，ALDH2です．アルデヒドの分解に関係する酵素でしたね．ALDH2*2をもつ人は心筋梗塞を発症しやすいことが明らかとなりました．お酒を飲めない人は，ニトログリセリンの感受性が低いばかりでなく，心筋梗塞のリスクも高いのです．

今後の大規模臨床試験の結果が，大いに注目されるところです．

その他の脂質異常症治療薬

ここまでの説明で気がつかれた方も多いかと思いますが，トリグリセリドを低下させる薬物の説明がありません．LDLに対するスタチンのようにこれぞという薬はありませんが，その他の脂質異常症治療薬としてトリグリセリドの低下に関する薬物をいくつか説明します．

フィブラート系薬物（ベザフィブラート［ベザトール®］など）は，核内受容体であるPPAR α（peroxisome proliferator activated receptor α）のリガンドとして作用し，脂肪酸のβ酸化にかかわる酵素の転写を活性化します．ニコチン酸（ナイアシン）はNAD（nicotinamide adenine dinucleotide）に変換され，ミトコンドリアで電子伝達系の補酵素として働き，脂肪酸のβ酸化を促進します．したがって，フィブラート系薬物，ニコチン酸系薬物（トコフェノールニコチン酸［ユベラN®］他）は，脂肪酸の異化を亢進することでトリグリセリドを低下させる作用をもちます．エイコサペンタエン酸（EPA［エパデール®］）は，転写因子SREBPに結合することで脂肪酸合成系にかかわる酵素の発現を負に制御します．これによって，トリグリセリドを低下させます．

抗炎症・抗酸化治療

抗炎症・抗酸化治療は，主に酸化をターゲットとして行われ，炎症の改善は間接的に得られます．まず，「敵を知る」ことからというわけで，酸化のメカニズムを勉強したいと思います．酸化には主に次の3つのメカニズムがあります．

> **MEMO**
> 酸化のメカニズム
> ・ミトコンドリア電子伝達系にリンクした活性酸素の産生
> ・細胞膜NOXを介する活性酸素の産生 ← アンジオテンシンIIにより誘導される
> ・白血球由来のミエロペルオキシダーゼによる細胞外での酸化

Column：パーソナルダイエット

EPAに関しては日本発のエビデンスがあります．JELIS試験（Japan EPA Lipid Intervention Study, 2007年）で，スタチンを服用中の高コレステロール血症患者にEPAを投与すると，心血管イベントが19％減少しました．魚油に含まれるω-3系不飽和脂肪酸です．魚油は動脈硬化に有効という話を耳にすることも少なくないと思います．食のエビデンスと結びついた臨床研究として注目を集めました．

魚油は万人にとって健康によい食事なのでしょうか？　最近，面白いデータが多く発表されています．例えば，魚油を一定以上摂取してもらうと，通常はトリグリセリドが低下するのに，ApoA5のある遺伝子多型をもつ人ではトリグリセリドがかえって上昇しました．また，通常は血管壁の炎症が軽減するのに，12/15LOXのある遺伝子多型をもつ人ではかえって炎症が増強しました．個人個人の即した医療をしましょうという「パーソナルメディシン」という言葉はしばしば耳にすると思いますが，最近，栄養学の領域では，「パーソナルダイエット」という概念が提示されているようです．

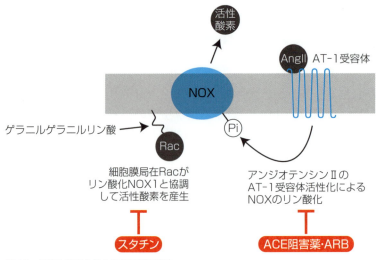

図11　NOX 活性化による活性酸素産生

①ミトコンドリアの電子伝達系にリンクした活性酸素の産生
②細胞膜に局在する NADPH オキシダーゼ（NADPH oxidase：NOX）を介する活性酸素の産生
③白血球由来のミエロペルオキシダーゼによる細胞外での酸化

　このうち，今のところ薬物の標的となっているのは②です．NOX は，アンジオテンシンⅡによる AT-1 受容体の活性化によってリン酸化されることで活性化され，活性酸素を発生します．アンジオテンシンⅡが酸化ストレスの原因となる理由ですね．ただし，アンジオテンシンⅡによる NOX 活性化には，低分子量 G 蛋白質の Rac が NOX の近傍に存在することが必要です（図 11）．

　それではこの NOX を抑制する薬物は何でしょう？　当然 1 つは，ACE 阻害薬と ARB です．もう 1 つが意外にもスタチンです．スタチンには LDL 低下作用に加えて，さまざまな心血管イベント抑制にかかわる作用があることが知られるようになってきており，これをスタチンの多面性効果と呼びます．

　スタチンの多面性効果の 1 つが抗酸化作用なのです．コレステロール合成を抑制するスタチンがどうして抗酸化作用を示すのでしょう？　Rac は膜蛋白質ではないので，細胞膜に存在するためには脂溶性の細胞膜と親和性のある脂質によって修飾を受けることが必要になります．この脂質修飾の材料がゲラニルゲラニルリン酸です．Rac の細胞膜局在の材料であるゲラニルゲラニルピロリン酸は，コレステロール合成の途中で枝分かれしてつくられます（図 10）．スタチンはゲラニルゲラニルピロリン酸の合成も抑制するので，NOX を介する酸化ストレスを抑制する作用があります．

薬剤選択のヒント

■慢性冠症候群におけるβブロッカー，Ca拮抗薬，硝酸薬の使い分け

　慢性冠症候群では，心筋酸素需要を減らすβブロッカー，Ca拮抗薬，硝酸薬が治療の中心となります．労作性狭心症の場合は，βブロッカー⇒Ca拮抗薬の順番で選択します．冠動脈攣縮性狭心症の場合は，βブロッカーは禁忌で，Ca拮抗薬を選択します．硝酸薬は，ニトロ耐性などの問題があり，持続投与は避けるほうが無難です．Bブロッカー，Ca拮抗薬でコントロールがつかない場合は，ニトログリセリン以外の硝酸薬，特にニコランジルが選択されることが多いようです．

■スタチン増量 vs 小腸コレステロールトランスポーター阻害薬併用

　急性冠症候群におけるLDLコレステロールの目標値は80mg/dLで，これより高い場合は，なんといってもスタチンが第一選択となります．ここには迷いはありません．考慮が必要なのが，スタチンでLDLコレステロールがコントロールされない場合，スタチンを増量するのか小腸コレステロールトランスポーター阻害薬（エゼチミブ）を併用するのかです．

　欧米でシンバスタチン40mg/日でLDLコレステロールの目標値（80mg/dL）を達成できなかった高リスク患者で，スタチン倍量とエゼチミブ10mg/日との併用の比較が行われ，エゼチミブ10mg/日併用のほうが有意にLDLコレステロール目標値が達成されました．日本でも同様の結果が得られ，さらに頸動脈内膜中膜複合体肥厚（IMT）の有意な改善も示されました．したがって，今ではスタチンでコントロールできない場合は，スタチン増量ではなく，エゼチミブとの併用が推奨されるでしょう．

Chapter 4
不整脈

1 不整脈とは

　循環器疾患の薬は，心不全・虚血性心疾患・高血圧では多くのものが共通しています．外来をしていても，虚血性心疾患でβブロッカーやCa拮抗薬を使っていると，患者から「私は高血圧ではないんですけど」といわれて，お薬手帳の記載を何とかしてくれないかなと思うことがしばしばあります．その点，不整脈の薬はイオンチャネルをターゲットとするものがほとんどであり，他の循環器疾患の薬とは一線を画します．これが不整脈の薬はわかりにくいといわれるゆえんではないでしょうか？　「ピンチはチャンス」ではありませんが，心臓のイオンチャネルを理解すれば「不整脈の薬なんて怖くない！」となるにちがいありません．ということで，まず心臓のイオンチャネルについて勉強しましょう．

心臓のイオンチャネル

　心電図は心臓全体の電気現象の総和ですが，心筋細胞1個の電気現象は活動電位です．心電図を理解するためには，その基礎の活動電位を理解することが必要になります．イオンチャネルを活動電位と関係づけて勉強していきましょう．

■内向き電流と外向き電流

　イオンチャネルは，イオン濃度の高いところから低いところにイオンを運びます．イオンチャネルで重要となるのは3つの陽イオンチャネルで，NaチャネルとKチャネル・Caチャネルです．イオン濃度は，NaとCaは細胞外＞細胞内，Kは細胞内＞細胞外となっているので，NaチャネルとCaチャネルは内向き電流，Kチャネルは外向き電流をもたらします（図1）．

　細胞膜は，通常は細胞内がマイナス，細胞外がプラスに荷電されています（図2）．これがデフォルト状態で，プラス極とマイナス極が分かれているという意味で「分極」と呼びます．活動電位とは細胞内電位が一過性にプラスになることで，これは分極を脱するという意味から「脱分極」といいます．脱分極した細胞膜が再び分極状態に戻ることを「再分極」と呼びます．

MEMO
・心電図 ⇒ 心臓全体の電気現象
・活動電位 ⇒ 心筋細胞1個の電気現象

MEMO
・Naチャネル・Caチャネル ⇒ 内向き電流をもたらす
・Kチャネル ⇒ 外向き電流をもたらす

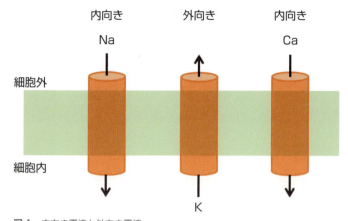

図1 内向き電流と外向き電流

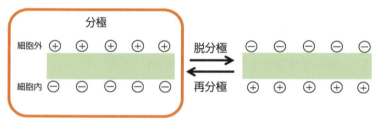

図2 細胞膜の分極，脱分極，再分極

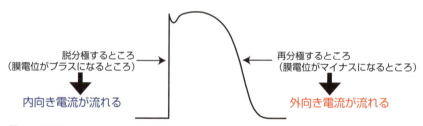

図3 脱分極・再分極するところと内向き電流・外向き電流

内向き電流が流れると，プラスイオンの Na^+ あるいは Ca^{2+} が細胞内に流入するので，細胞内がプラス，すなわち脱分極します．一方，外向き電流が流れるとプラスイオンの K^+ が細胞外に流出するので，細胞内がマイナス，すなわち再分極します．逆の見方をすると，活動電位で脱分極するところでは何かしら内向き電流が流れ，再分極するところでは外向き電流が流れるということができます（図3）．

活動電位とイオンチャネル
1. 刺激伝導系

心筋細胞は，血液を送り出すポンプ機能を担う固有心筋（作業心筋）と心拍を形成しこれを心臓全体に伝達する刺激伝導系心筋に2分されます．

MEMO

- 分極：細胞内がマイナス，細胞外がプラスに荷電した状態
- 脱分極：細胞内がプラスになること
- 再分極：いったん脱分極した細胞膜が再び分極状態に戻ること

MEMO

- 内向き電流 ⇒ 脱分極
- 外向き電流 ⇒ 再分極

刺激伝導系には心臓の上の方から，洞結節・（心房内刺激伝導系）・房室結節・ヒス束・脚（右脚・左脚）・プルキンエ線維があります．ヒス束・脚・プルキンエ線維は，まとめて「ヒス-プルキンエ系」と呼ばれます．心房内刺激伝導系が（　）に入っているのは，心房内の刺激伝導系が不完全な刺激伝導系だからです．刺激伝導系の最大の特徴は自動能をもつことであり，心拍を形成することができます．ただ，自動能の速さにはヒエラルキーがあり，洞結節＞房室結節＞ヒス-プルキンエ系の順番となっています．このため，通常の心拍は洞結節から生じる洞調律です．

　洞結節・房室結節（本書では「結節系」と呼ぶことにします）とヒス-プルキンエ系は自動能をもつことは同じですが，それ以外の性質は実は大きく異なっています．一例をとると，ヒス-プルキンエ系は心臓のなかで最も伝導が速いのですが，結節系は逆に最も遅くなっています．活動電位の形状も大きく異なっています．ヒス-プルキンエ系の活動電位は，固有心筋の活動電位と比較的似ています．ここでは，刺激伝導系の代表として洞結節，固有心筋の代表として心室筋の活動電位とイオンチャネルの関係を説明します．

　その前に，刺激伝導系と少し離れてしまいますが，1つ重要なこととして伝導速度にもヒエラルキーがあることをつけ加えておきましょう．心室筋・心房筋も自動能はもちませんが，興奮を伝達することはできるので，これらを含めた伝導速度のヒエラルキーは，ヒス-プルキンエ系＞心房筋＞心室筋＞結節系となっています．

2. 固有心筋（心室筋）の活動電位（図4）

　心室筋の活動電位は5つの時相からなり，それぞれ0相〜4相と呼ばれます（表1）．脱分極するところは（膜電位がプラス側［上側］に振れるのは），0相（立ち上がり相）と2相（プラトー相）です．どちらにも内向き電流が流れることになりますが，0相ではNaチャネルを介するNa電流（I_{Na}），2相ではCaチャネルを介するL型Ca電流（I_{CaL}）が流れます．再分極するところ（膜電位がマイナス側［下側］に振れるところ）は，1相（早期再分極相）と3相（急速再分極相）です．どちらもKチャネルを介する外向き電流が流れますが，1相では活動電位前半に関与する一過性外向きKチャネルによる一過性外向き電流（I_{to}），3相では活動電位後半に関与する遅延整流性Kチャネルを介する遅延整流K電流（I_K）が流れます．4相の静止膜電位では電位変化はなく，電流は流れませんが，深い静止膜電位を維持するために内向き整流Kチャネル（I_{K1}チャネル）が開いていることが必要です．

3. 刺激伝導系心筋（洞結節細胞）の活動電位（図5）

　洞結節細胞の活動電位には1相と2相がなく，0相から直接急速再分極相の3相に移行します（表1）．心室筋細胞の活動電位と比べて，次の4つの相違点があります．

> **MEMO**
> ・自動能のヒエラルキー（自動能は刺激伝導系だけにある）
> 洞結節 ＞ 房室結節 ＞ ヒス-プルキンエ系
> ・伝導速度のヒエラルキー（興奮伝導はすべての心筋細胞で起こる）
> ヒス-プルキンエ系 ＞ 心房筋 ＞ 心室筋 ＞ 結節系

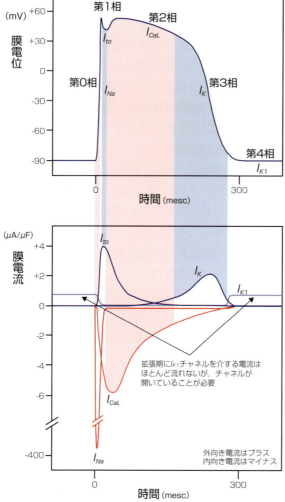

図4 心室筋細胞の活動電位（上）とイオン電流（下）
内向き電流は赤，外向き電流は青，内向き電流が流れる活動電位の時相はピンク，外向き電流が流れる時相は薄青で示します．

- 4相が緩徐に脱分極する（拡張期緩徐脱分極）
- 0相の傾きが緩やか
- 最も深い膜電位（最大拡張期電位）が浅い
- プラトー相がない

洞結節細胞の活動電位には脱分極するところは2つあります．0相と4相で，どちらでも内向き電流が流れます．0相ではI_{CaL}が流れます．4相でゆっくりですが脱分極するのが自動能の本態で，この脱分極がCaチャネルが活性化する膜電位に達すると自動的に活動電位が発生します．4相で流れる内向き電流は，これまで説明してこなかった内向き電流のペースメーカ電流（過分極活性化陽イオン電流，ファニー電流）I_fとNa/Ca交換輸送体を介する電流I_{NCX}です．日本ではI_fおよびI_{NCX}を標的とする薬は

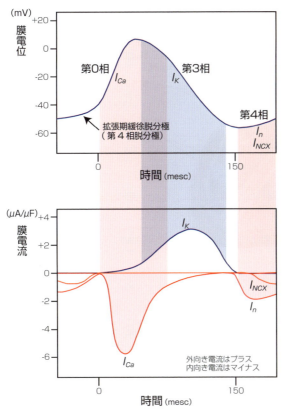

図5 洞結節細胞の活動電位（上）とイオン電流（下）
内向き電流は赤，外向き電流は青，内向き電流が流れる活動電位の時相はピンク，外向き電流が流れる時相は薄青で示します．

表1 心室筋細胞・洞結節細胞の活動電位各相に関与するイオンチャネル

	心室筋細胞	洞結節細胞
0相（立ち上がり相）	Naチャネル	L型Caチャネル
1相（早期再分極相）	一過性外向きKチャネル	―
2相（プラトー相）	L型Caチャネル	―
3相（急速再分極相）	遅延整流Kチャネル	遅延整流Kチャネル
4相（拡張期相）	内向き整流Kチャネル	ペースメーカチャネル Na/Ca交換輸送体

まだ市販されていないので，ここでは詳しい説明は省きたいと思います．一方，再分極するところは3相だけで，ここではI_Kが流れます．

ここで臨床と直結するのが，活動電位の立ちあがり（0相）にかかわるイオンチャネルの違いです．結節系はCaチャネル，それ以外はNaチャネルで，それぞれCaチャネル活動電位，Naチャネル活動電位と呼ばれます（図6）．図4からわかるように，Caチャネル電流の大きさはNaチャネル電流の1/100以下となっています．このため，Caチャネル活動電位の洞結節と房室結節は伝導速度が遅くなっています．また，Caチャ

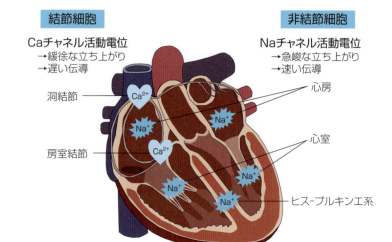

図6 活動電位の立ちあがりが Na チャネルと Ca チャネルの細胞

ネルブロッカーを投与すると洞結節の自動能が低下し心拍数が減り，房室結節の伝導が低下しこれに相当する心電図の RR 間隔の延長，および PQ 時間が延長あるいはブロックが起こります．一方，Na チャネルブロッカーを投与すると心房・心室での伝導が低下し P 波の幅や QRS 波の幅が延長することがあります．

不整脈のメカニズム

不整脈には，徐脈性不整脈と頻脈性不整脈があります．薬物治療の対象となるのは主に頻脈性不整脈なので，そのメカニズムについて説明します．不整脈のメカニズムについて説明すると話が複雑になり，不整脈嫌いを生み出す原因となります．誰しも好き好んで嫌われたいと思わないので，できたら説明しないで済ませたいのですが，抗不整脈薬の説明のところでどうしても破綻をきたしてしまいます．必要最低限の説明にとどめますので，頑張ってついてきてください．

不整脈のメカニズムには，主に次の3種類があります．
・異常自動能
・トリガード・アクティビティ
・リエントリー

■異常自動能

自動能は刺激伝導系細胞に存在し，これはヒエラルキーがあること，通常は自動能の最も速い洞結節細胞の自動能が心拍を形成すること，は説明しました．このヒエラルキーが崩れるのはどのような場合でしょうか？これは2つのパターンがあります．1つは上位の自動能が低下して下位か

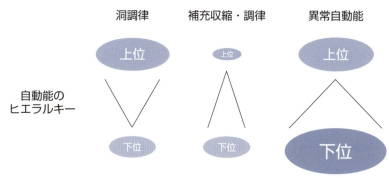

図7 自動能のヒエラルキーとその逆転

ら心拍が起こるものです（図7中）．これは徐脈性不整脈で，このとき下位刺激伝導系から起こる心拍を「補充収縮・補充調律」と呼びます．単発のときが補充収縮で，持続するときが補充調律です．一方，下位の自動能が洞結節の自動能よりも速くなったものが，異常自動能です（図7右）．

異常自動能は，心房内刺激伝導系あるいはヒス-プルキンエ系で起きた場合は，Naチャネルが活動電位の立ち上がりに関係するので，Naチャネルブロッカーが効果的です．房室結節で起きた場合は，Caチャネルが活動電位の立ち上がりに関係するので，Caチャネルブロッカーが有効です．心房頻拍（後述）の一部が異常自動能によると考えられています．

■ トリガード・アクティビティ

トリガード・アクティビティは，後脱分極と呼ばれる異常膜電位から生じる活動電位のことです．期外収縮の多くがトリガード・アクティビティを原因とします．後脱分極とは，活動電位0相と次の活動電位0相の間に起こる脱分極のことで，活動電位が終了する前に起こる後脱分極を早期後脱分極（early after-depolarization：EAD），活動電位が終了してから起こる後脱分極を遅延後脱分極（delayed after-depolarization：DAD）と呼び区別します（図8）．早期後脱分極は，QT延長症候群や心肥大などでみられる活動電位持続時間（QT間隔）の延長に伴って生じます．一方，遅延後脱分極は，心不全やジギタリス中毒などでみられる細胞内のCa過負荷に伴って生じます．これは交感神経の活性化とこれに伴うCaチャネルの活性化が関係するので，遅延後脱分極に伴う不整脈ではCaチャネルブロッカーあるいはβブロッカーが有効です．早期後脱分極，遅延後脱分極による活動電位は，主にNaチャネルの活性化によって起こるので，Naチャネルブロッカーも有効です．

> **MEMO**
>
> 後脱分極
> ・早期後脱分極 ⇒ 活動電位持続時間（QT間隔）延長（QT延長症候群，心肥大）
> ・遅延後脱分極 ⇒ Ca過負荷（心不全，ジギタリス中毒）

■ リエントリー

==リエントリー性不整脈は，臨床で最も多い不整脈機序で，ある回路をぐるぐる回るような電気現象のことをいいます．==この回路のことを「リエン

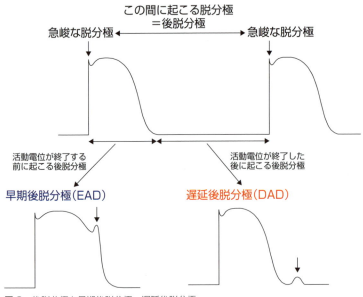

図8 後脱分極と早期後脱分極・遅延後脱分極

トリー回路」といいます．解剖学的に固定したリエントリー回路がある場合を「解剖学的リエントリー（マクロリエントリー）」，解剖学的に固定したリエントリー回路は存在しないが，期外収縮などで一過性にリエントリー回路が形成される場合を「機能的リエントリー（ミクロリエントリー）」と呼びます．解剖学的リエントリーの代表は，房室結節リエントリー性頻拍，房室回帰性頻拍（⇒103頁参照），心房粗動などです．機能的リエントリーの代表は，心房細動，心室頻拍，心室細動です．

　リエントリー回路には，障害を受け伝導性が低下し，不応期が延長した領域（図9の灰色部分）があります．障害により伝導性が低下した部位は，一方向だけに興奮を伝えることができるようになっています．このようにリエントリー性不整脈の成立には，

・伝導障害による一方向性ブロック
・不応期のばらつき

の2つが必要とされています．リエントリー性不整脈の停止は，障害部位で伝導性をさらに低下させ，一方向性ブロックを両方向性ブロックにしてリエントリー性不整脈を停止させる方法，不応期を延長させて回ってきた興奮をブロックして停止させようとする方法のいずれかがとられます．前者の目的には，主にヴォーン・ウィリアムズ分類のⅠ群薬（後述），後者にはⅢ群薬が使われます．

　リエントリー性不整脈の発生と停止を考えるとき，リエントリー回路と波長，興奮間隙という概念を用いると理解が容易になります（図9）．波長は，不応期の間に興奮が伝播できる距離のことであり，

　　波長 ＝ 不応期 × 伝導速度

> **MEMO**
> ・解剖学的リエントリー（マクロリエントリー）⇒ 房室結節リエントリー性頻拍，房室回帰性頻拍，心房粗動
> ・機能的リエントリー（ミクロリエントリー）⇒ 心房細動，心室頻拍，心室細動

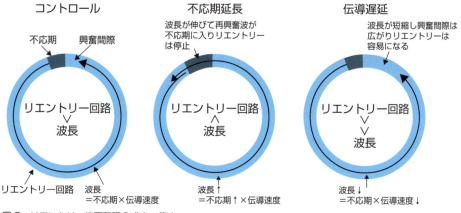

図9 リエントリー性不整脈の成立・停止

で求めることができます．不応期の間に回ることのできる距離（波長）と実際のリエントリー回路の差のことを興奮間隙とよび，

　　興奮間隙 ＝ リエントリー回路 － 波長

で求めることができます．興奮間隙がプラスのとき（すなわちリエントリー回路＞波長のとき），リエントリーが成立します．不応期を伸ばす抗不整脈薬では波長が長くなるので，興奮間隙が小さくなりリエントリー性不整脈が停止する可能性が高くなります．伝導速度を遅くする抗不整脈薬だと波長が逆に短くなり，興奮間隙が大きくなるので，かえってリエントリー性不整脈が起こりやすくなります．

> **MEMO**
> ・不応期延長 ⇒ 興奮間隙減少 ⇒ リエントリー性不整脈停止
> ・伝導遅延 ⇒ 興奮間隙拡大 ⇒ リエントリー性不整脈促進

2 抗不整脈薬の種類と使い方

抗不整脈薬

●よく使用される抗不整脈薬（ヴォーン・ウィリアムズ分類）

タイプ	一般名	商品名	特徴	基本用量
IA群薬（活動電位持続時間を延長するNaチャネルブロッカー）	キニジン	キニジン®	比較的古い薬で，近年の使用は減っている	200〜600mg/日分1〜3
	プロカインアミド	アミサリン®		内服：1,000〜2,000mg/日分4 静注：200〜1,000mg，50〜100mg/分の速度で静注
	ジソピラミド	リスモダン®		300mg/日分3
	ジベンゾリン	シベノール®		300〜450mg/日分3
	ピメノール	ピメノール®		200mg/日分2
IB群薬（活動電位持続時間を短縮するNaチャネルブロッカー）	リドカイン	キシロカイン®		50〜100mgを1〜2分で静注 1〜2mg/分（最大4mg/分）
	メキシレチン	メキシチール®		300〜450mg/分
	アプリンジン	アスペノン®		40〜60mg/日分2〜3
IC群薬（活動電位持続時間影響しないNaチャネルブロッカー）	フレカイニド	タンボコール®		100〜200mg/日分2
	プロパフェノン	プロノン®		450mg/日分3
	ピルジカイニド	サンリズム®		150〜225mg/日分3
II群薬（βブロッカー） ＊他のβブロッカーはChapter1「心不全」を参照	プロプラノロール	インデラル®		内服：30〜90mg/日分3 静注：2〜10mgを数分かけて静注
III群薬（Kチャネルブロッカー）	アミオダロン	アンカロン®		200mg/日分2

	ソタロール	ソタコール®	80〜320mg/日分2
	ニフェカラント	シンビット®	0.3mg/kgを5分かけて静注 0.43mg/kg/時で点滴静注
Ⅳ群薬（Caチャネルブロッカー）	ベラパミル	ワソラン®	内服：120〜240mg/日分3 静注：5mgを数分かけて静注
	ベプリジル	ベプリコール®	100〜200mg/日分2

● 薬剤の副作用

① Ⅰ群薬
- 心機能抑制作用 ⇒ IA群薬・IB群薬でみられ，ジソピラミド，フレカイニドで特に顕著
- 催不整脈作用 ⇒ IA群薬はQT延長に伴う不整脈（torsades de pointesと呼ばれる），IC群薬はQRS間隔の延長を伴うエントリー型の不整脈
- 抗コリン作用 ⇒ プロカインアミド以外のIA群薬．このためキニジンでは下痢・悪心，ジソピラミド，ピメノールでは閉尿・口渇を認めることがある．
- その他 ⇒ シベンゾリンの低血糖作用，リドカインの中枢神経作用（錯乱，浮動性めまい，けいれん），アプリンジンの肝障害・汎血球減少などがある．リドカインの神経症状は1日当たりの使用量が3gを超えると出現する．

② Ⅱ群薬
　Chapter1「心不全」を参照

③ Ⅲ群薬
- 催不整脈作用
- アミオダロンの間質性肺炎・肺線維症，肝障害，甲状腺機能亢進症
- ソタロールのβブロッカー作用による徐脈性不整脈，心不全

④ Ⅳ群薬
　Chapter2「高血圧」を参照

● 薬剤の禁忌

① Ⅰ群薬
　共通する禁忌は刺激伝導系障害，重篤なうっ血性心不全．そのほか個別で重要なものには，ジソピラミド，ピメノールの緑内障，排尿障害，アプリンジン，フレカイニドの妊婦，フレカイニドの心筋梗塞後の心室期外収縮，非持続性心室頻拍などがあります．

② Ⅱ群薬
　Chapter1「心不全」を参照

③ Ⅲ群薬
　アミオダロン ⇒ 刺激伝導障害，ヨウ素過敏症
　ソタロール ⇒ QT延長症候群，重度のうっ血性心不全，刺激伝導障害，気管支喘息
　ニフェカラント ⇒ QT延長症候群

④ Ⅳ群薬
　Chapter2「高血圧」を参照

理解を深めるためのステップアップ —— 薬の作用機序

抗不整脈薬は，ヴォーン・ウィリアムズ分類によってクラス分けされます．ヴォーン・ウィリアムズ分類では，各抗不整脈を主たる標的分子に基づいて 4 群に分類します．I 群は Na チャネルブロッカー，II 群は交感神経 β 受容体ブロッカー，III 群は K チャネルブロッカー，IV 群は Ca チャネルブロッカーです．

I 群はさらに活動電位持続時間（心電図では QT 間隔に相当）に対する作用に基づいて 3 群に細分類されます．IA 群は活動電位持続時間を延長するもの，IB 群は活動電位持続時間を短縮するもの，IC 群は活動電位持続時間に対する影響がないものです．

■ I 群と III 群

心房や心室の不整脈には，主に I 群と III 群が使われます．I 群薬は活動電位の立ち上がりを抑えることによって，興奮発生を抑制するか，あるいは不応期を延長することにより不整脈を抑制する作用があります．ただし，伝導速度を遅くする作用ももっているので，場合によってはリエントリー性不整脈をかえって促進してしまうこともあります（図 9 参照）．

一方，III 群薬は活動電位持続時間を延長することで，不応期を延長して不整脈を抑制します．IA 薬が活動電位持続時間を延長するのは，Na チャネルに加えて K チャネルもブロックする作用があるからです．また，IB 薬は心房で起こる不整脈にはほとんど効果がありません．

1. CAST

1990 年ごろ，CAST（Cardiac Arrhythmia Suppression Trial）と呼ばれる臨床研究が行われました．最近はやりの大規模臨床試験のはしりです．1990 年以前から，心筋梗塞後の突然死のマーカーとして心室期外収縮が知られていました．そこで，心室期外収縮を抑制することが突然死の減少につながるかを検討した研究です．

IC 薬のフレカイニドと日本では発売されませんでしたがエンカイニドが用いられました．心室期外収縮は有意に減少しましたが，突然死は逆に有意に増加してしまい，5 年計画の研究が 3 年足らずで中止になりました．今では，サロゲートマーカー（心室期外収縮）の抑制がエンドポイントと解離する代表な事例として語られています．IC 群は I 群薬のなかでも伝導遅延作用が強いので，図 9 の原理でリエントリー性不整脈をかえって起こしやすくしたのだろうと解釈されています．

> **MEMO**
>
> I 群薬の効果
> ・興奮を起こらなくさせる
> ・不応期を延長させる
> ・伝導遅延はリエントリー性不整脈をかえって起こりやすくする
>
> III 群薬の効果
> ・不応期を延長させる

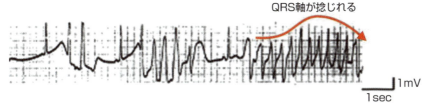

図10 トルサード・ド・ポアンツ

2. トルサード・ド・ポアンツ（torsades de pointes）

　CASTを契機として，魚の群れが一斉に反対を向くように，Ⅰ群薬の使用から不応期だけを延長するⅢ群薬の使用へと抗不整脈治療が大きくシフトしました．これには，Ⅲ群薬のアミオダロン，ソタロールが心室頻拍，心室細動に有効であるという臨床的エビデンスも後押ししたようです．そこで，多くのⅢ群薬が開発されることとなりました．

　ところが，QT間隔延長に伴い早期後脱分極によるメカニズムでQRS軸が捻じれるよう特徴的形態の心室頻拍トルサード・ド・ポアンツと呼ばれる不整脈（図10）が副作用として生じることが新たな問題として浮上しました．今では，新たに開発されたⅢ群薬では，ニフェカラント（シンビット®）がかろうじて生き残り，心筋梗塞急性期に使われるだけとなっています．

> **MEMO**
> 抗不整脈が起こす2大不整脈
> ・トルサード・ド・ポアンツ ⇒ QT延長
> ・CAST型不整脈 ⇒ 伝導遅延（QRS時間延長）

■ Ⅱ群薬とⅣ群薬

　Ⅱ群薬の標的は交感神経β受容体，Ⅳ群薬の標的はCaチャネルです．交感神経β受容体の刺激はCaチャネルを活性化するので，それぞれを遮断するⅡ群薬とⅣ群薬は類似の作用を示します．作用は大きく分けて次の2つになります．

- 洞結節・房室結節で，それぞれ自動能の抑制と伝導抑制
- トリガード・アクティビティの抑制

■ その他の抗不整脈薬

　その他の抗不整脈薬としておさえておきたいのが，ATP（アデホス®）とジゴキシン（ジゴシン®）の2つです．いずれも房室伝導の抑制に使われますが，ATPは静注薬だけで作用は一過性（1分以内）です．ジゴキシンは11頁で説明したように低濃度では副交感神経活性化作用があり，高濃度では交感神経活性化作用があります．通常は副交感神経活性化作用のある低濃度で用いられ，特に心房細動患者における心室レートのコントロールに使われます．

Column：CASTはミスCAST？

　筆者は，留学した研究所でCASTのデータを収集する仕事を任されたことがあります．抗不整脈薬でかえって突然死が増えることが新聞報道された日は，研究室の電話が鳴りやまなかったことが今でも強烈な印象として残っています．
　映画やTVドラマで，ベストセラー作品を取り上げてもまったく流行らないことがあります．俳優のcastingがまずいことが原因の1つのようです．留学先のボスと，CASTも伝導遅延が強いIC薬でなく不応期を延長するIA薬を使っていたら結果は違ったかも，とよく話をしていました．その意味では，CASTもミスcastだったのかもしれません．IC薬は，CASTのせいで「他の薬物が無効な重症不整脈に限り使用可能」の注意書きが付いています．そのおかげで，なかなか使いづらい薬となっています．不発に終わった映画やTVドラマでも，俳優に魅力がないのではなくて，その配役と合わなかっただけのこともしばしばあり，その俳優が次の作品で大ヒットを飛ばすこともあります．IC薬もCASTには合わなかっただけで，使い道によっては実に効果的でもあるのです．

3 不整脈の治療

頻脈性不整脈の鑑別診断

　それでは，実際の不整脈でどのような抗不整脈薬が使われるかみていきましょう．まずは，頻脈性不整脈の鑑別診断から始めましょう．頻脈性不整脈は3つの判断基準，「RR間隔が整か不整か」「QRS間隔がwideかnarrowか」「頻度がいくつか」を使って鑑別します（図11）．

■RR間隔が整か不整か？

　RR間隔が不整なのは，上室性の場合は心房細動，心室性の場合は多形性心室頻拍あるいは心室細動です．心房粗動は後で説明しますが，RR間隔が整の場合と不整の場合の両方が起こりえます．

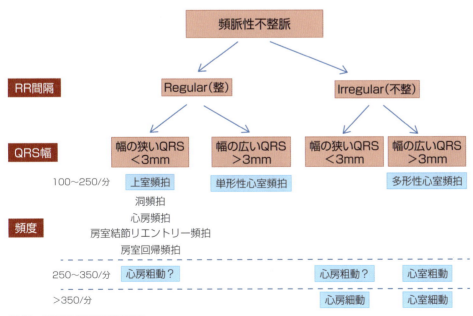

図11　頻脈性不整脈の鑑別診断

■QRS 間隔は wide か narrow か？

ヒス-プルキンエ系は心臓のなかで伝導速度が最も速かったですね．心室が興奮するとき，ヒス-プルキンエ系を通ると興奮は心室全体に行き渡るので，QRS 時間は短く narrow QRS となります．一方，心室が興奮するとき，ヒス-プルキンエ系を通らないと心室全体を興奮させるのに時間がかかるので，QRS 時間は長く wide QRS となります．心房と心室の電気的連絡路は通常は房室結節だけなので，心房などの上室で起きた興奮は必ずヒス-プルキンエ系を通り narrow QRS となります．一方，心室での興奮はヒス-プルキンエ系を通らないので，wide QRS となります．

ただし，「wide QRS なのに上室性」となる例外が，時として起こることがあります．これには，

- 脚ブロック
- 非特異的心室内伝導障害
- 変行伝導（期外収縮などにより引き起こされる一過性の脚ブロック，多くは右脚ブロック）
- WPW 症候群
- 心肥大
- 電解質異常

により，基盤に心室内での伝導遅延がある場合などがあります．

> **MEMO**
>
> Narrow QRS ⇒ 上室性
> Wide QRS ⇒ 心室性
> 例外的に wide QRS ⇒ 上室性
> これには，脚ブロック，非特異的心室内伝導障害，変行伝導，WPW 症候群，心肥大，電解質異常などが基盤にあります．

■頻度はいくつか？

頻度が 100/分以上の場合，頻脈といいます．頻脈もさらにその程度によって次の 3 つに分類されます．

- 頻度 100〜250/分 ⇒ 頻拍
- 頻度 250〜350/分 ⇒ 粗動
- 頻度 350/分以上 ⇒ 細動

心室性不整脈の場合は，不整脈の頻度＝心拍数になりますが，心房性不整脈の場合は，不整脈の頻度は心房での興奮の頻度であり，心室応答の頻度（＝心拍数）ではありません．

■上室頻拍の鑑別

図 11 のなかで上室頻拍に 4 タイプがあり，これらの鑑別が必要になります．この鑑別には P 波が重要になります．まず，P 波の有無・部位によって 3 つに分類し，先行する P 波がある場合は洞調律と同じ P 波かそうでないかによってさらに 2 つに分類します（図 12）：

- QRS 波に先行する P 波がある
  洞調律の P 波と同じ ⇒ 洞頻拍
  洞調律の P 波と異なる ⇒ 心房頻拍
- P 波がない ⇒ 房室結節リエントリー性頻拍

洞性頻拍

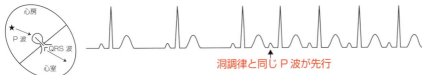

↑ 洞調律と同じ P 波が先行

心房頻拍

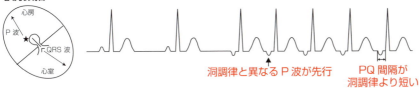

↑ 洞調律と異なる P 波が先行　PQ 間隔が洞調律より短い

房室結節リエントリー性頻拍

↑ P 波がみえない（あるいは QRS 終末部のノッチとして存在）

房室回帰性頻拍

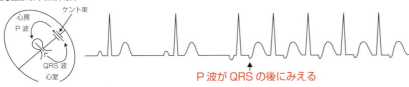

↑ P 波が QRS の後にみえる

図 12　上室頻拍の鑑別診断

・QRS 波の後に P 波がある ⇒ 房室回帰性頻拍

　房室リエントリー性頻拍では，房室結節内でリエントリーが起こり，心房と心室にはほぼ同時に興奮が伝達されるので，P 波は QRS 波に隠れてみえないことが多いです．QRS 波直後にノッチのようにみえることもあります．房室回帰性頻拍は，「心房 ⇒ 房室結節 ⇒ 心室 ⇒ ケント束 ⇒ 心房」という順番で興奮が伝達されます．ケント束は，性質が心房筋・心室筋と似ているので，伝導速度はケント束＞房室結節となります．したがって，QRS 波後に比較的短い時間で P 波が生じるので，P 波は QRS 波の後にみえます．

心房粗動と心房細動

・心電図の基線が揺れていて，P 波がみえない
・QRS が narrow QRS（WPW 症候群や脚ブロックがある場合は例外）の場合は，心房粗動か心房細動です（図 13）．心房粗動は，三尖弁輪の周囲をリエントリー回路とする解剖学的リエントリーで，心電図の基線は

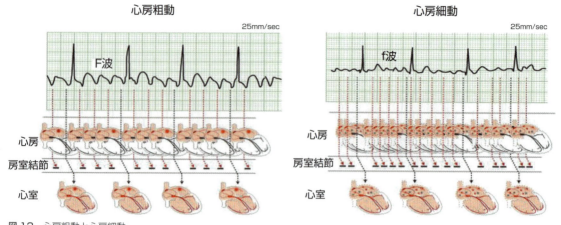

図13 心房粗動と心房細動
(心臓病看護教育研究会:心房細動と心房粗動. ハート先生の心電図教室, 2015年10月29日確認. http://www.cardiac.jp/view.php?lang=ja&target=af_af.xml)

鋸の歯状の三角形の形をしていることが多いようです．心房細動は，心房における機能的リエントリーで，心電図の基線の揺れは細かく不規則です．

心房粗動は心房の興奮が250〜350/分，心房細動は350/分以上ですが，房室結節はこれらを全部伝えることができなくて，間引きがされます．心房粗動では，なぜか偶数回に1回興奮が伝達され，2：1伝導ある

> **Column：絵本では「ウォーリーを探せ」，心電図では「P波を探せ」**
>
> 絵本で，多くの人のなかから赤白の横じまシャツを着た「ウォーリーを探せ」というのがありますよね．心電図ではさしずめ「P波を探せ」です．
>
> 上室頻拍の鑑別にはP波の場所が大切であることを説明しましたが，これだけでなくポーズがあるところ，wide QRSの期外収縮があるところ，などとにかく何らかの異常があるところでは，その前後でP波を探す癖をつけましょう．P波はしばしばT波に重なったりしており，みつけにくくなっています．具体例でみてみましょう．図aに心電図を示します．ポーズがあるので，洞停止あるいは洞房ブロックといいたいところです．でもポーズ前後のT波を比べてみましょう．ポーズ前のT波が他のT波と少し形が違うのがわかりますね．ここにP波が重なって隠れているのです．これは心房期外収縮で房室ブロックが起こったためにできたポーズです．間違ってもペースメーカなんか植え込んではいけません．
>
> このように，P波を探そうと思って心電図をみることだけで，おそらく心電図の読解力は3割方向上するのではないでしょうか？　だまされたと思ってトライしてみてください．
>
>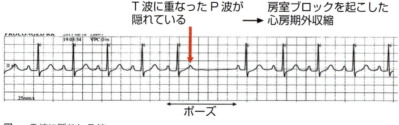
>
> 図a　T波に隠れたP波

いは 4：1 伝導となることが多いようです．仮に心房の興奮回数が 300/分だとすると，心室レートは 2：1 伝導では 150/分，4：1 伝導では 75/分となります．常に 2：1 伝導あるいは 4：1 伝導であれば RR 間隔は整となりますが，2：1 伝導と 4：1 伝導が入れ替わることがあり，その場合は RR 間隔が不整となります．心房細動は，心房の興奮もランダムであり，房室結節の伝導もランダムであり，RR 間隔は全く不整となります．このため，心房細動は「絶対不整脈」といわれることがあります．

次に，主に薬物治療の対象となる不整脈について個別に解説します．

期外収縮

鑑別診断には登場しませんでしたが，単発の不整脈が起こる上室期外収縮，心室期外収縮も薬物治療の対象となることがあります．期外収縮は主にトリガード・アクティビティによって起こることが多いとされています．

■上室期外収縮（図 14）

上室期外収縮は，生命予後に影響を与えないことが知られています．一方，抗不整脈薬にはトルサード・ド・ポアンツなどの重篤な不整脈を起こすものがあるので，上室期外収縮では薬物治療はしたくありません．ただし，患者が症状のために日常生活に不便があるとき，上室期外収縮が頻発するとき（数に基準はありません）に限り治療を行うこともあります．精神安定剤やβブロッカーが有効なこともあるのですが，抗不整脈を使う場合はⅠ群薬が使われます．IB 薬は心房不整脈には無効なので，IA 群か IC 群を使います．その場合，副作用，特に催不整脈作用が少ない抗不整脈薬

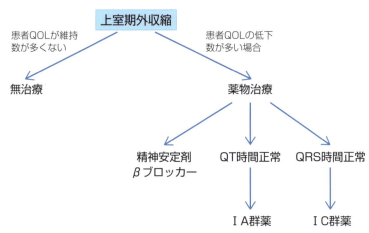

図 14　上室期外収縮の治療

を選ぶのがポイントとなります．

■基礎心疾患がない心室期外収縮（図15）

基礎心疾患がない場合は，心室期外収縮は生命予後に影響しないので，基本的に治療は行いません．症状が強くて患者が希望するときだけ，治療することになります．活動によって頻度が増える場合はβブロッカー，それ以外はⅠ群薬で治療しますが，最も副作用の少ないIB薬のメキシレチン（メキシチール®）を用いることが多いです．これでも無効のときは，QT間隔が長くない場合はIA薬，QRS時間が長くない場合はIC薬を用いることもありますが，できたら避けたいところではあります．

■基礎心疾患がある場合の心室期外収縮（図15）

基礎心疾患がある場合は，心室期外収縮は生命予後を悪化させます．ところが，CASTでわかるように心室期外収縮を抑制したとしても生命予後は改善されません．「じゃ，どうしたらよいの？」ということになると思います．基本的には，基礎心疾患の治療が優先します．心不全であれば心不全の治療，虚血性心疾患であれば虚血の治療を行います．これでも心室期外収縮が頻発しQOLに影響するときは，活動時に悪化する場合はβブロッカー，そうでなければIB薬のメキシレチンが用いられます．突然死のリスクが高いと考えられる場合には，Ⅲ群薬のアミオダロン・ソタロールを使う場合もあります．これは心室期外収縮の抑制というよりも，突然死の予防といった意味合いが強いのでしょう．

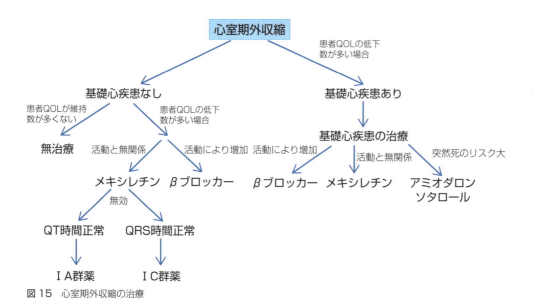

図15 心室期外収縮の治療

房室結節リエントリー性頻拍と房室回帰性頻拍（図16）

房室結節リエントリー性頻拍，房室回帰性頻拍とも最近ではカテーテルアブレーションにより高確率で根治できるので，カテーテルアブレーションでの治療が中心となります．ただし，発作で救急外来を訪れたとき，および発作がまれあるいは何らかの理由でカテーテルアブレーションが行えない場合は薬物治療の対象となります．

■発作で救急外来を訪れたとき

房室結節リエントリー性頻拍は房室結節，房室回帰性頻拍は房室結節とケント束がリエントリー回路に含まれます．したがって，房室結節リエントリー性頻拍では房室結節の伝導を抑制するATP（アデホス®）の急速静注か，ベラパミル（ワソラン®）の5〜10分かけた緩徐な静注が用いられます．房室回帰性頻拍は，房室結節で停止を目指すときはATPやベラパミル，ケント束での停止を目指すときはⅠ群薬のジソピラミド（リスモダン®）やプロカインアミド（アミサリン®）の緩徐な静注が行われます．

■カテーテルアブレーションを行わない場合

予防的に抗不整脈を飲み続けることは，今ではまず行わないでしょう．発作が起きたときに救急外来に駆け込むか，自分で停止を試みるか，の2択かと思います．前者は既に説明したので，後者の説明をしましょう．

薬物を使わずに，副交感神経を緊張させる手技で停止を試みることがあ

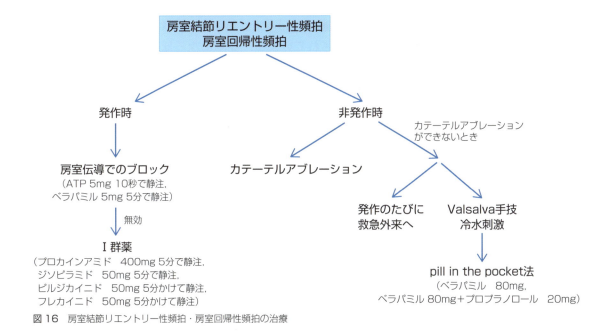

図16 房室結節リエントリー性頻拍・房室回帰性頻拍の治療

ります．患者は経験からこのような手技を知っていることも珍しくありません．医師としても，患者に聞いて学ぶことも大切です．よく知られた方法は，Valsalva法（声帯を閉じての呼気努力）あるいは冷水刺激（冷水に顔面を浸す）です．このいずれか，あるいは両方をいっぺんに行います．テキストにはAschner法・Zermark法という難しげな名前が載っているものもあります．ただし，Aschner法（眼球の圧迫）は網膜損傷にリスクがあり，Zermark法（頸動脈洞マッサージ）はかなり強くマッサージしないと止まらず，また頸動脈にアテローム性プラークがあるときは解離して脳梗塞を起こすことがあるので，行わないほうが無難です．

　これらの手技でも停止しないときは，ベラパミル（ワソラン®）80mg，あるいはベラパミル（ワソラン®）80mg＋プロプラノロール（インデラル®）20mgを頓服してもらいます．これをpill in the pocket法と呼びます．ただし，pill in the pocket法は，1回目は病院で試してみて安全性を確認してから，自宅で試してもらう必要があります．

■薬剤選択のヒント

　房室結節リエントリー性頻拍と房室回帰性頻拍は，心電図から鑑別されますが，必ずしも鑑別できるとは限りません．そこで，まずはどちらにも効果的なATPあるいはベラパミルを用い，これでも停止しないときにはI群薬（プロカインアミド，ジソピラミド，ピルジカイニド，フレカイニドなど）の静注を行います．

心房細動

　心房細動は，臨床で最もよく遭遇する不整脈で，日本では無症候性患者も含めると150〜200万人の患者がいるとされています．高齢になるほど頻度が高くなり，高頻度に左房内血栓，心原性脳塞栓を合併すること，高心拍数が続くと心不全を合併しやすいことが問題とされています．心房細動の治療では，心房細動を洞調律に回復させる，あるいは心房細動を予防して洞調律を維持する「リズムコントロール」と，心房細動はそのままにして合併症の心原性脳塞栓と心不全を予防する「レートコントロール」が行われます．この両者の生命予後を比較する臨床研究が数多くなされていますが，両者の生命予後に有意差はないとの結果が主流です．どちらを選択するかは，ケースバイケースで判断することになります．

■リズムコントロール

　リズムコントロールには，カテーテルアブレーションと薬物治療があります．心房細動は次の3つに分けられます：
- 発作性心房細動：7日以内に自然停止するもの

・持続性心房細動：7日以上持続するもの
・永続性心房細動：除細動されないもの

　リズムコントロールの対象は，発作性心房細動あるいは持続性心房細動ということになります．発作性心房細動に対するカテーテルアブレーションによる治療では，1回のセッションでは成功率は70〜80％，複数回のセッションでは90％以上とされています．持続性心房細動も含めると，複数回のセッションでも成功率は60〜80％と若干低くなります．合併症は約4％にみられ，心嚢水貯留が最も多い合併症でした．薬物によるリズムコントロールと，カテーテルアブレーションによるリズムコントロールの成績を比較する研究も行なわれています．全心房細動では，両者に有意差がないという結果になっています．心不全を伴う心房細動に限ると，カテーテルアブレーションの方が生命予後を有意に長くしています．

　薬物によるリズムコントロールは，心房の不整脈なので心房筋に効くNaチャネルブロッカーのIA群薬，IC群薬が主に使われます．さまざまな薬物に対する応答性をみた研究があります（図17）．最も有効性の低かった薬物が抗がん剤，最も有効性の高かった薬物が非ステロイド性抗炎症薬（NSAIDs）です．心房細動の薬の応答性はとみてみると，実は抗がん剤に次いで低く25％程度といわれています．

　このようなエビデンスから判断すると，リズムコントロールを選択するのであれば，できればカテーテルアブレーションを選択したほうがよいようです．もし薬物による治療を選択する場合，どの薬物を使うとよいのでしょう？　IA群，IC群できちんと応答率をみた研究はないように思います．ただし，日本で各薬物が使われる頻度に関するデータはあります（図18）．最近では，I群薬は心機能を低下させることへの懸念が指摘されており，心不全を伴う心房細動では避けた方がいいでしょう．I群薬だけでなく，III群薬のアミオダロン（アンカロン®）・ソタロール（ソタコール®）

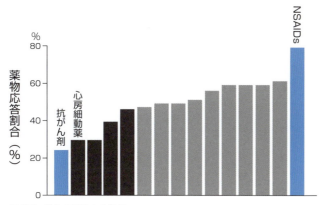

図17　種々の薬物の応答性
〔Bristow MR：Pharmacogenetic targeting of drugs for heart failure. Pharmacol Ther 134（1）：107-115, 2012〕

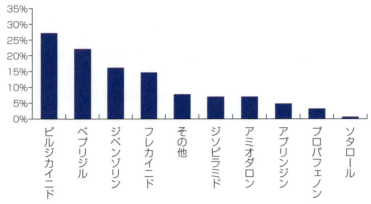
図 18　心房細動に使われる抗不整脈薬

も使われています．たしかにアミオダロンなどは有効性が高い印象がありますが，副作用が問題となります．リズムコントロールとレートコントロールに生命予後に対する効果に有意差がないことが明らかとなった現時点では，アミオダロンは積極的には使いづらいのではないでしょうか？

■ レートコントロール

レートコントロールでは，心不全の予防や自覚症状の軽減の目的のために心室レートの低下を目指します．毎分 70 台が目標心拍数とされています．これに加えて，心原性脳塞栓予防のために抗凝固薬を投与します．抗凝固薬に関してはChapter5 の「血栓症」の治療薬のところで説明します．ここでは，心室レートの低下，すなわち房室結節の伝導の抑制に使われる薬物をみてみましょう．

- βブロッカー
- Ca 拮抗薬のベラパミル（ワソラン®）
- ジギタリス

の 3 つが用いられます（図 19）．

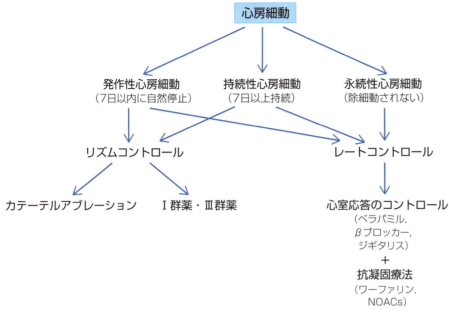

図19 心房細動の治療

心房粗動

　心房粗動は，心房細動と類縁疾患として扱われることも多いですが，不整脈のメカニズムは異なり，治療法もかなり異なっています．

　抗不整脈薬で治療した場合を考えてみましょう．もし，抗不整脈薬を使って心房粗動がうまく停止してくれればよいのですが，旋回周期が減少したけれども停止しないと問題です（なぜかこうなることがしばしばです）．仮に，三尖弁周囲の旋回周期が毎分300回の心房粗動で，この人の房室結節が毎分130回まで興奮を伝えることができるとしましょう（図20）．すると，2：1伝導では毎分150回となり房室結節は伝えることができません．したがって4：1伝導となり非薬物治療下では心室レートは75/分です．I群抗不整脈薬によりリエントリーを停止することはできずに，三尖弁周囲の旋回周期が毎分250回まで低下したとしましょう．すると2：1伝導だと125/分となり，房室伝導はこれを伝えることができるようになります．つまり，抗不整脈薬によって心室レートが75/分から125/分へと増加してしまうのです．これは心房粗動の抗不整脈薬治療でしばしば起こる事態です．心房粗動では，基本的に抗不整脈薬治療は行わないほうが無難でしょう．

　それではどうするのでしょう？　心房粗動のリエントリー回路では，三尖弁と下大静脈入口部の間が狭く峡部（Isthmus）と呼ばれます．カテーテルアブレーションで峡部に線条焼灼を入れることにより，心房粗動は極

3. 不整脈の治療　107

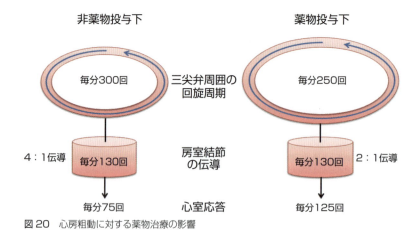

図20　心房粗動に対する薬物治療の影響

めて高い頻度で根治します．ですので，カテーテルアブレーションが第1選択となります．カテーテルアブレーションに至るまでの期間は，電気的除細動を行うか，あるいはβブロッカー，ベラパミル，ジギタリスによるレートコントロールを行うことになります．どうしてもカテーテルアブレーションが行えない場合も，βブロッカー，ベラパミル，ジギタリスによるレートコントロールを行います．

心室頻拍（図21）

心室頻拍・心室細動の最終兵器は，何といっても植え込み型除細動器です．それでも，心室頻拍・心室細動で抗不整脈薬治療が行われるケースがあるので，みていきましょう．

■特定のタイプの単形性特発性心室頻拍

心室頻拍で薬物治療が有効となる可能性があるのは，特発性心室頻拍（基礎心疾患がない）で単形性 monomorphic の場合です．特発性単形性心室頻拍はその発生部位から
　①左脚束枝起源
　②心室流出路起源
　③その他の部位起源
に分けられます．①と②で薬物治療の有効性が示唆されます．
　①左脚束枝起源の心室頻拍は，心電図で右脚ブロック左軸偏位型，ごくまれに左脚ブロック右軸偏位型を示し，wide QRS とはいえ QRS 幅が比較的狭い（0.14秒前後）ことが特徴です．発作時の心室頻拍の停止，および慢性期の発作予防の両者に Ca 拮抗薬のベラパミルが有効で，「ベラパミル感受性心室頻拍」とも呼ばれます．
　②心室流出路起源の心室頻拍は，理由は不明ですが多くが右室流出路起

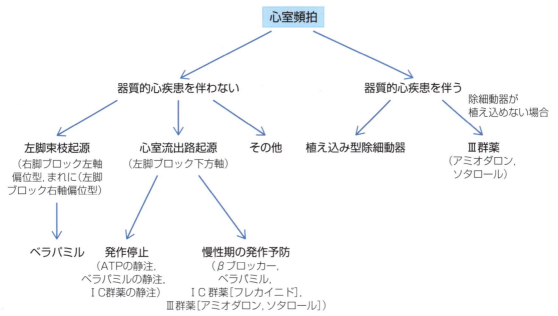

図21 心室頻拍の治療

源です．そのため，心電図では左脚ブロック下方軸を示します．多くが30秒以内に自然停止する一過性で生命予後は健常人と変わりません．ただし，10秒以上持続すると失神などの症状が起きるので，QOL改善のために薬物治療を必要とする場合があります．急性期の発作停止には，ATPの静注，ベラパミルの静注，IC群薬の静注が用いられます．慢性期の発作予防では，βブロッカーが25～50％，ベラパミルが25～30％，IC群のフレカイニドが25～50％，Ⅲ群薬のアミオダロンあるいはソタロールが75％に有効であったと報告されています．①と違い特効薬は残念ながらないので，医師が経験に基づいて薬物を選択しているのが現状です．

■ 器質的心疾患に伴う心室頻拍・心室細動で除細動器の植え込みができない場合

この場合は，治療の選択肢は1つだけでしょう．Ⅲ群薬のアミオダロンあるいはソタロールだけが，有効性とされています．ただし，植え込み型除細動器と比較した場合は，Ⅲ群薬のほうが有意に有効性が低くなっています．

薬剤選択のヒント

■ 発作性上室頻拍では，Ca拮抗薬あるいはNaチャネルブロッカー

発作性上室頻拍で圧倒的に頻度が高いのが，房室結節リエントリー頻拍

と房室回帰性頻拍です．房室結節リエントリー頻拍には房室結節の伝導を抑える Ca 拮抗薬，房室回帰性頻拍で房室結節を標的とする Ca 拮抗薬でもケント束を標的とする Na チャネルブロッカーでもよいと前述しましたが，実際はどのように使い分けているのでしょうか？

房室結節リエントリー頻拍と房室回帰性頻拍は心電図から鑑別しますが，必ずしも鑑別が可能とはいえません．そこで，どちらにも有効な Ca 拮抗薬を第一選択として使用します．即効性を期待するときは，やはり房室結節に作用する ATP を用います．これらでも効かない場合に Na チャネルブロッカーをトライするのが一般的です．

■心房細動のレートコントロール

心房細動，場合によっては心房粗動の心室レートのコントロールには，Ca 拮抗薬，βブロッカー，ジギタリスが使われます．AHA のガイドラインでは，第一選択薬が Ca 拮抗薬，第二選択薬がβブロッカー，最後がジギタリスとなっています．

Ca 拮抗薬ですが，低血圧でなければ長時間作用型のジルチアゼム（ヘルベッサー®），低血圧でジルチアゼム（ヘルベッサー®）が使えない場合はベラパミル（ワソラン®）を用います．

心不全がある場合は，Ca 拮抗薬は使いづらく，ジギタリスを第一選択とします．ジギタリス単独では運動時のレートコントロールがほとんどできないことが明らかとなっており，ジギタリスにベラパミル（ワソラン®）あるいはβブロッカーを加えることが多いようです．ベラパミル（ワソラン®）を加えるかβブロッカーを加えるかは，医師によってまちまちです．

心不全ではジギタリスを第一選択とすると説明しましたが，TREAT-AF（Retrospective Evaluation and Assessment of Therapies in AF）study のデータを使用した大規模な解析が行われ，心房細動のレートコントロールでジギタリスが有意に死亡率を上げることが報告されました（Mintu P, et al：Increased Mortality Associated With Digoxin in Contemporary Patients With Atrial Fibrillation：Findings From the TREAT-AF Study. JACC 64：660-668, 2014）．心房細動のレートコントロールにおけるジギタリスの臨床研究では正反対の結果が報告されており，今回の論文も人数が多いとはいえ後ろ向きの観察研究なので，データが示されていませんが，ジギタリスは心不全をもつ患者，すなわちもともとリスクの高い患者に投与されている可能性も否定できず，これで決着がついたとはいえないように思います．ただし，現時点で最も信頼性の高いデータといえるので，ジギタリスを第一選択とすることはできないと思います．

> **MEMO**
>
> 心房細動心室レートコントロール
> 第一選択：Ca 拮抗薬（ジルチアゼム［ヘルベッサー®］，ベラパミル［ワソラン®］）
> 第二選択：βブロッカー
> 第三選択：ジギタリス

■心筋梗塞急性期の心室頻拍・心室細動にはリドカイン，ニフェカラントあるいはアミオダロン？

　心筋梗塞急性期に生じる心室頻拍・心室細動では，電気ショックにより治療します．ただし，頻回の電気ショックは心臓にダメージを与えるので，電気ショックの回数を減らすためにも抗不整脈の点滴静注が行われることがあります．以前は，Naチャネルブロッカーの I 群薬リドカイン（キシロカイン®）が唯一の選択肢でした．一般のクリニックに急性心筋梗塞の患者が来たら，リドカイン50mgあるいは100mgを筋注して専門病院へ転送することが推奨されていました．ところが，最近はKチャネルブロッカーのⅢ群薬の有効性が勝ることが明らかになってきました．これは，Naチャネルブロッカーは除細動閾値を上げるのに対して，Kチャネルブロッカーは除細動閾値を下げるからです．そこで，最近日本ではⅢ群薬のニフェカラント（シンビット®）が第一選択とされています．欧米では，Ⅲ群薬のアミオダロン（アンカロン®）の静注が第一選択となっています．今後，日本ではニフェカラントvsアミオダロンの比較が盛んになるでしょう．

Chapter5
血栓症

1 血栓症とは

血栓症とは，血管内にできた血の塊（血栓）により血管がつまる疾患です．脳の動脈がつまると脳梗塞，心臓の冠動脈がつまると心筋梗塞，下肢の静脈がつまると深部静脈血栓症といいます．血栓が多臓器に飛ぶこともあります．不整脈などで心臓内にできた血栓が脳の動脈に飛び，閉塞させると脳梗塞の1つ心原性脳梗塞，下肢の深部静脈血栓肺に飛ぶと肺梗塞症になります．

凝固系

これまでの凝固系の考え方

凝固系は，今までの授業や一般的なテキストでは「外因系」「内因系」「共通系」に分けて図1のように説明されることが多かったと思います．

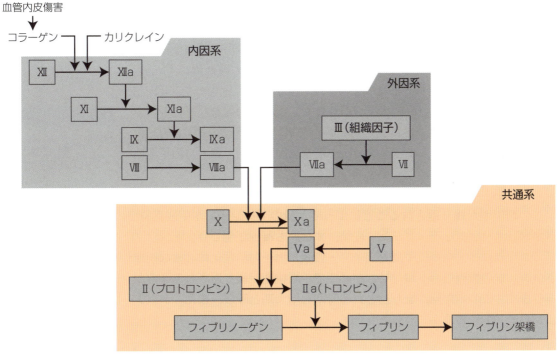

図1　従来の凝固系の捉え方

外因系では血管外で血液が組織因子に接触することで凝固が始まり，内因系では血管内皮細胞が障害を受け露出したコラーゲンに血液が接する，あるいは血管内を循環する化学物質キニン・カリクレイン系に接することにより凝固が開始され，第Ⅹ因子で共通になるという説明です．

■新しい凝固系の考え方「細胞性凝固反応」（図2）

　従来の凝固系の考え方は，試験管の中で起こる反応をつなぎ合わせたものであって，実際に生体内で起こる凝固を説明できないのでは，という懸念が呈されるようになってきました．そこで，日本血栓止血学会から「細胞性凝固反応」と呼ばれる新しい凝固系の捉え方が提唱されています．
　凝固系を，開始期・増幅期・増大期の3つのタイミングに分け，いずれにおいても凝固因子の第Ⅹ/Ⅹa因子と第Ⅱ/Ⅱa因子（プロトロンビン/トロンビン）が重要となるという考え方です．

1. 開始期

　開始期は，物理的あるいは化学的な凝固刺激により単球あるいは血管内皮細胞表面に組織因子が発現することで開始します．これに結合した第Ⅶa因子が第Ⅹ因子を活性化し，第Ⅹa因子が第Ⅱ因子（プロトロンビン）を活性化第Ⅱa因子（トロンビン）に変換します．これによって少量のトロンビンが生じます．これを「初期トロンビン」と呼びます．初期トロンビンは，フィブリノーゲンをフィブリンにする，すなわち凝固を起こすには十分な量ではありませんが，近傍の血小板や凝固Ⅴ・Ⅷ・Ⅺ因子を活性化するのには十分の量で，次の増幅期へと進行させます．

2. 増幅期

　活性化された血小板上で，活性化された従来の内因系の凝固因子Ⅷa・Ⅸa・Ⅺaが複合体をつくります．この内因系凝固因子の複合体を「Xase」と呼び，第Ⅹ因子を活性化してⅩa因子にします．活性化されたⅩa因子はⅤa因子と血小板上で複合体をつくります．この複合体を「プロトロンビナーゼ」と呼び，プロトロンビン（第Ⅱ因子）を活性型の第Ⅱa因子にします．第Ⅱa因子は，再び近傍の血小板や凝固因子Ⅴ・Ⅷ・Ⅺ因子を活性化します．この過程を増幅期と呼びます．

3. 増大期

　この増幅期が繰り返されることによって大量のトロンビンが生成され，フィブリノーゲンをフィブリンに変換，すなわち凝固が起こります．フィブリン形成には，血小板や凝固因子Ⅴ・Ⅷ・Ⅺ因子の活性化に必要な初期トロンビンの数百倍のトロンビンが必要で，増幅期が繰り返される必要があります．この増幅期が繰り返される時期を増大期と呼び，また「トロンビンバースト」と呼ぶこともあります．

> **MEMO**
> Xase ⇒
> 　Ⅷa・Ⅸa・Ⅺa
> プロトロンビナーゼ ⇒
> 　Ⅴa・Ⅹa

> **MEMO**
> 初期トロンビン ⇒ 近傍の血小板と第Ⅴ・Ⅷ・Ⅺ因子の活性化
> トロンビンバースト ⇒ フィブリノーゲンをフィブリンに変換

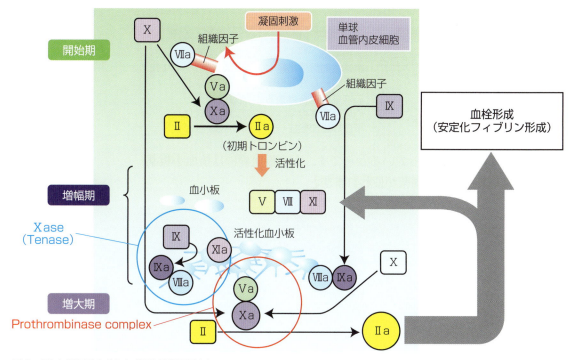

図2 新しい凝固系の考え方「細胞性凝固反応」

2つの血栓

　血栓には「血小板血栓」と「フィブリン血栓」の2種類があることを理解しましょう（表1）．血小板血栓は，血小板が多いことから「白色血栓」とも呼ばれ，動脈などの血流の速いところでできることを特徴とします．血流が速いところでは内皮障害が起きやすく，障害部位にvon Willebrand因子と呼ばれる凝固因子を介して血小板が粘着し活性化した結果，多数の活性化血小板により凝集塊，すなわち血小板血栓が形成されるのです．血小板血栓が関係する疾患には，冠動脈に起こる心筋梗塞，主に下肢の動脈に起こる閉塞性動脈硬化症，脳動脈に起こるアテローム性の脳梗塞などがあります．いずれも起こる場所は動脈ですね．

　一方，フィブリン血栓は赤血球を多く含むことから「赤色血栓」とも呼ばれ，静脈や心房などの血流の遅いところでできることを特徴とします．赤血球の表面にエラスターゼと呼ばれる酵素があり，エラスターゼは凝固IX因子を活性化する作用をもっています．血流の遅いところでは赤血球が血管内皮の近くをゆっくり移動するので血管内皮細胞にある凝固因子を活性化しやすいのです．フィブリン血栓が関係する疾患には，心房細動に合併する心原性脳塞栓や下肢の静脈血栓症があります．

　なぜこの2つを理解することが重要かというと，それぞれの予防・治

表1　2種類の血栓

	できる部位	関連する疾患	予防・治療
血小板血栓 （白色血栓）	血流の速いところ （動脈）	心筋梗塞 閉塞性動脈硬化症 アテローム性脳梗塞	抗血小板薬 （アスピリン，クロピドグレルなど）
フィブリン血栓 （赤色血栓）	血流の遅いところ （静脈）	心房細動に合併する 心原性脳塞栓 下肢静脈血栓症	抗凝固薬 （ワルファリン，NOACsなど）

療に使われる薬物が異なっているからです．血小板血栓には抗血小板薬，フィブリン血栓では抗凝固薬が使われます．

2 血栓症治療薬の種類と使い方

抗血小板薬

●よく使用される抗血小板薬

タイプ	一般名	商品名	特徴	基本用量
COX-1阻害薬	アスピリン	バイアスピリン®		100mg/日（最大3,000mg/日）
チクロピジン	チクロピジン塩酸塩	パナルジン®		200～300mg/日分2～3
	クロピドグレル塩酸塩	プラビックス®		50～75mg/日
PDE阻害薬	シロスタゾール	プレタール®		200mg/日分2
	ジピリダモール	ペルサンチン®アンギナール®		75mg/日分3

●薬剤の副作用

①アスピリン
　最も多い副作用は胃腸症状です．また，喘息が出ることがあります．重篤な出血にも注意が必要です．

②チクロピジン
　重大な出血には注意が必要です．また，頻度は低いですが血栓性血小板減少性紫斑病（TTP），無顆粒球症などの血液障害，重篤な肝障害が重篤な副作用として注意が喚起されています．

③PDE阻害薬
　頭痛と動悸が代表的で，5～10%に起こるとされています．

●薬剤の禁忌

①COX-1阻害薬
　サリチル酸系薬過敏症，消化性潰瘍，出血傾向の患者，アスピリン喘息

②チクロピジン
　出血，重篤な肝障害，白血球減少症

理解を深めるためのステップアップ① ── 薬の作用機序

■血小板の活性化機構

血小板の活性化は，平滑筋の収縮・弛緩とのアナロジーで理解しましょう．平滑筋は細胞内 Ca によって収縮し，サイクリックヌクレオチド（cAMP, cGMP）で弛緩しました．血小板も同じように Ca によって活性化し，サイクリックヌクレオチドによって不活性化されます（図3）．

ただし，平滑筋とは Ca・サイクリックヌクレオチドを制御する上流のシグナルが異なっています．出血が起きたり内皮が傷害された部位に血小板が付着すると，血小板の濃密顆粒が脱顆粒され，その内容物のトロンボキサン A_2 と ADP（アデノシン 2-リン酸）が放出されます．トロンボキサン A_2 はトロンボキサン A_2 受容体，ADP は ADP 受容体の1つ $P2Y_1$ を介して細胞内 Ca を増加します．

ADP は別の ADP 受容体 $P2Y_{12}$ を介して，cAMP の生合成を阻害します．cAMP および cGMP はホスホジエステラーゼによって分解されます．ADP・ホスホジエステラーゼによってサイクリックヌクレオチド濃度が減少するので，血小板が活性化されます．

トロンボキサン A_2 の合成を阻害するのがアスピリン，$P2Y_{12}$ 受容体のブロッカーがチクロピジン，ホスホジエステラーゼを阻害するのが PDE 阻害薬で，いずれも血小板の活性化を阻害します．

急性冠症候群などでステントを植え込んだ人では，1年間アスピリンとチクロピジンのクロピドグレル（プラビックス®）の併用療法を行うことが推奨されます．チクロピジンと PDE 阻害薬でなく，Ca の系とサイクリックヌクレオチドの系のそれぞれ異なった血小板活性化経路を抑える薬

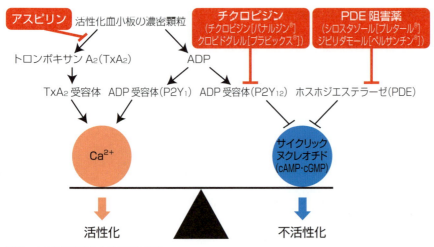

図3 血小板の活性化と不活性化機構

物の併用が推奨されていることは実に理に適っていますね.

■アスピリンの注意点

アスピリンは,細胞膜構成成分から産生されたアラキドン酸からプロスタグランジン G_2 を産生する段階の酵素シクロオキシゲナーゼ(COX)を抑制する薬です(図4).プロスタグランジン G_2 からトロンボキサン A_2 が産生されるので,アスピリンはトロンボキサン A_2 の産生,血小板の活性化を抑制します.

アスピリンを使用するうえでの,いくつかの注意点を次に説明しましょう.

1. 消化性潰瘍

アスピリン使用により生じる胃潰瘍は,難治性であることが知られています.プロスタグランジン G_2 から胃粘膜保護作用を有するプロスタグランジン E_2 も産生されます.プロスタグランジン G_2 の上流を抑えるアスピリンは,胃粘膜保護作用も障害するのです.

2. アスピリンジレンマ

低用量のアスピリンを投与しても十分効果が得られないとき,アスピリンの投与量を増やすと効果が出ないだけでなく,かえって血栓ができやすくなることがあります.これを「アスピリンジレンマ」と呼んでいます.プロスタグランジン G_2 から,血小板活性化作用を有するトロンボキサン A_2 と,抗血小板作用を有するプロスタグランジン I_2 の相反する作用の2物質が産生されます(図4).低用量のアスピリンはトロンボキサン A_2 の産生だけを抑制し,高用量のアスピリンはプロスタグランジン I_2 の産生も抑制するので,高用量になるとかえって血栓形成を増強してしまうことがあるのです.

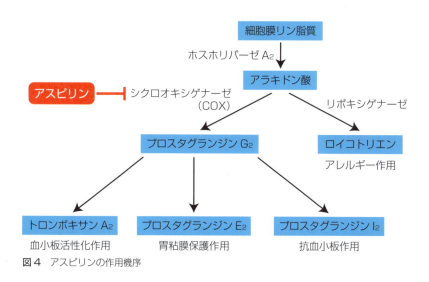

図4 アスピリンの作用機序

それでは，なぜ低用量のアスピリンはトロンボキサン A_2 の産生だけを抑制するのでしょう．これはトロンボキサン A_2 とプロスタグランジン I_2 の産生される細胞の違いに関係します．トロンボキサン A_2 は血小板で産生され，プロスタグランジン I_2 は血管内皮細胞で産生されます．血小板と血管内皮細胞の決定的な違いは，血小板には核がなく，血管内皮細胞には核があることです．アスピリンはシクロオキシゲナーゼを非可逆的に抑制するのですが，再度シクロオキシゲナーゼが働くためには核のない血小板では新しく血小板そのものが産生される必要があり，低用量のアスピリンで十分な効果が得られます．一方，血管内皮細胞では新たにシクロオキシゲナーゼが核で遺伝子から産生されるので，低用量ではシクロオキシゲナーゼを十分抑えきれません．そのため，低用量のアスピリンでは血小板活性化作用だけが抑制され，高用量になると抗血小板作用までに抑制されてしまい，かえって血栓ができやすくなります．

アスピリンを投与中の患者で大手術を行う場合は，比較的長い期間（7〜10日）アスピリンを中止してから手術を行うことが推奨されています．これにも，アスピリンがシクロオキシゲナーゼを非可逆的に抑えることが関係します．アスピリンを中止しても，血小板でトロンボキサン A_2 が産生され止血作用が十分働くためには，血小板そのものが十分量再生されるまで待つ必要があるのです．

3. アスピリン喘息

アスピリン服用によって，喘息が引き起こされることがあります．アラキドン酸からは，プロスタグランジン G_2 だけでなくアレルギー作用をもつロイコトリエンも産生されます．アラキドン酸からプロスタグランジン G_2 の産生を阻害すると，代償性にロイコトリエンの産生が増えるため，喘息が誘発されるのです．したがって，アスピリン喘息のときには，ロイコトリエン受容体拮抗薬（プランルカスト水和物［オノン®］，モンテルカストナトリウム［シングレア®］）などが効果的です．

MEMO
アスピリンの問題点
・消化性潰瘍
・アスピリンジレンマ
・アスピリン喘息

Column：「私は小児じゃないのに」「私は頭痛でかかったんじゃないのに」

今では低用量のアスピリン錠が開発されていますが，筆者が研修医のころはまだ低用量アスピリン錠がなく，ちょうど同じ内容量だった小児用アスピリンで代用していました．外来が忙しいとき，つい小児用アスピリンを十分な説明なしに処方してしまうと，その日のうちに患者から電話があり，「私は小児じゃないのに小児用の薬が出された」「頭痛でかかったんじゃないのに頭痛薬が間違って出された」という苦情を頂戴することがありました．しかも，これはかなり高い確率で起こりました．忙しいからといって説明の手を抜いちゃいけませんね．

抗凝固薬

●よく使用される抗凝固薬

タイプ	一般名	商品名	特徴	基本用量
アンチトロンビンⅢ依存性抗凝固薬	ヘパリン	ヘパリン®		10,000単位/日（APTTがコントロール値の1.5～2.5倍になるように用量調整）
ビタミンK依存性抗凝固薬	ワルファリン	ワーファリン®		1～5mg/日（PT-INRが若年者で2～3，高齢者で1.6～2.6になるように用量調整）
Xa阻害薬	フォンダパリヌクス	アリクストラ®		2.5mg/日皮下注
	リバーロキサバン	イグザレルト®		Ccr＞50mL/分：15mg/日 Ccr30～49mL/分：10mg/日 Ccr＜29mL/分：安全性が確立されていない．使うなら10mg/日
	アピキサバン	エリキュース®		10mg/日分2 80歳以上，体重60kg未満，Cr＞1.5mg/dLでは5mg/日分2
	エドキサバン	リクシアナ®		体重60kg以下：30mg/日 体重60kg超：60mg/日
直接的トロンビン阻害薬	ダビガトラン	プラザキサ®		300mg/日分2（Ccr＜50mL/分では220mg/日分2）

●薬剤の副作用

①ヘパリン

ショック・アナフィラキシー様症状，血小板減少（ヘパリン起因性血小板減少症，HITと呼ばれる），出血が主な副作用です．

②ワルファリン

最も多い副作用は出血です．それ以外に，過敏症状，下痢・吐き気・嘔吐などの消化器症状，抗甲状腺作用，肝機能障害などが起こることがあります．

③Xa阻害薬

最も多い副作用は出血です．それ以外に，肝機能障害，間質性肺疾患などが現れることがあります．

④抗トロンビン薬

出血，間質性肺炎，アナフィラキシーなどが重大な副作用です．それ以外に，消化不良，胃食道炎，悪心，腹部不快感，上腹部痛，心窩部不快感，嘔吐などの消化器症状が1%以上の症例で起こります．

●薬剤の禁忌

抗凝固薬に共通して，出血している患者，出血する可能性がある患者，重篤な肝障害・腎障害がある患者，中枢神経系の手術または外傷後日の浅い患者，当該薬に過敏症の既往歴のある患者，妊婦，細菌性心内

膜炎（血栓剝離に伴う血栓塞栓）
　　上記に加えて，
①ワルファリン
　　骨粗鬆症治療用ビタミンK_2（メナテトレノン）製剤を服用中の患者
②リバーロキサバン
　　HIVプロテアーゼ阻害薬，コビシスタットを含む製剤，アゾール系抗真菌薬を服用している患者
③ダビガトラン
　　アゾール系抗真菌薬を服用している患者
などが禁忌とされています．

理解を深めるためのステップアップ②　　　　　　　　　薬の作用機序

4タイプの抗凝固薬

凝固反応を押される抗凝固薬には，次の4タイプがあります．
- ビタミンK依存的抗凝固薬―ワルファリン（ワーファリン®）
- 直接的トロンビン阻害薬―ダビガトラン（プラザキサ®）
- 直接的Xa阻害薬―エドキサバン（リクシアナ®），アピキサバン（エリキュース®），リバーロキサバン（イグザレルト®）
- アンチトロンビンⅢ依存性抗凝固薬―ヘパリン

ビタミンK依存的凝固因子にはⅡ，Ⅶ，Ⅸ，Ⅹの4つがあり，ワルファリンはこれらを抑制します．ダビガトランはⅡ因子を直接抑制するので，直接的トロンビン阻害薬と呼ばれます．アンチトロンビンⅢ依存的凝固因子はⅨ，Ⅹ，Ⅺ，Ⅻですが，ヘパリンの作用としてはこのうち第Ⅹ因子の抑制が主体となります．これに対して，エドキサバン，アピキサバン，リバーロキサバンは，アンチトロンビンⅢとは無関係に第Xa因子を直接抑制するので，直接的Xa阻害薬と呼ばれます．直接的トロンビン阻害薬と直接的Xa阻害薬は近年開発された抗凝固因子であり，合わせて新経口抗凝固薬（New Oral Anti-Coagulants：NOACs）と呼ばれます．もうそろそろNewというのが相応しくないと感じたのか，最近はビタミンK非依存的経口抗凝固薬（Non-Vit K-dependent Oral Anti-Coagulants：NOACs），あるいは直接経口抗凝固薬（Direct Oral Anti-Coagulants：DOACs）と言い換えられることもあるようです．

ワルファリンの作用機序

ワルファリンは，その作用機序は少し複雑なので説明が必要でしょう．凝固因子Ⅱ，Ⅶ，Ⅸ，Ⅹはγ-グルタミルカルボキシラーゼと呼ばれる酵素で蛋白質切断を受け，活性型のⅡa，Ⅶa，Ⅸa，Xaとなります．このとき，補酵素として還元型ビタミンK（ビタミンKヒドロキノン）が必要で，これが酸化型ビタミンK（ビタミンKエポキシド）となります．酸

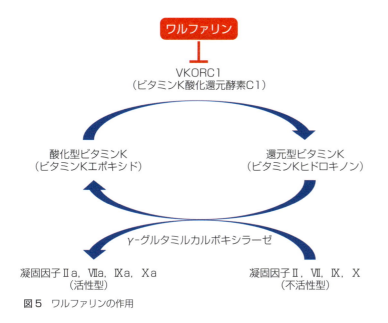

図5 ワルファリンの作用

化型となったビタミンKは，ビタミンK酸化還元酵素C1（VKORC1）と呼ばれる酵素で，還元型ビタミンKに戻り補酵素として再利用されます．ワルファリンは，このビタミンK酸化還元酵素C1を抑制します（図5）．このような回りくどい機序を利用するために，ワルファリンの作用はさまざまな因子の影響を受け，作用が不安定となります．その最たるものが食事に含まれるビタミンKです．ビタミンKを多く含む食事（納豆，クロレラ，ホウレンソウなど）を摂取すると，ワルファリンで還元型ビタミンKへの再利用を抑制しても余剰の還元型ビタミンKがあるので，ワルファリンの作用は弱くなります．逆に，ビタミンKが不足するとワルファリンの作用は増強します（⇒74頁コラム参照）．

凝固機能検査

凝固機能を調べるため，あるいはより実際的には抗凝固薬の効果を調べるために凝固機能検査が行われます．主なものが，プロトロンビン時間（PT）と活性化部分トロンボプラスチン時間（APTT）です．

プロトロンビン時間は，検体の血液に組織因子（第Ⅲ因子，トロンボプラスチン）を加えて外因系を介して血液が凝固するまでの時間を計り，活性化部分トロンボプラスチン時間は，検体の血液にカリクレインと類似の作用をもつ物質（セファリンなど）を加えて内因系を介して血液が凝固するまでの時間を計るとされていました．

ところが，前記したように内因系・外因系という考え方自体が生体内で起こる凝固系を反映するのに相応しくないと考えられるようになってきました．細胞性凝固反応が最近導入された考え方なので今後の課題なのかもしれませんが，新しい細胞性凝固反応では，PTとAPTTがどこをみる検

表2 PT・APTT と凝固因子の関係

		APTT	
		延長	正常
PT	延長	Ⅱ・Ⅴ・Ⅹ	Ⅶ
	正常	Ⅶ・Ⅸ・Ⅺ・Ⅻ	Ⅻ

査なのかピンときません．表2にPTとAPTTが異常のときは，どの凝固因子の抑制を考えるのかまとめてみました．

ワルファリンの効果はPT（実際には国際標準比 PT-INR），ヘパリンの効果はAPTTで評価します．PT-INRは，若年者では2〜3，高齢者では1.6〜2.6にコントロールすることが推奨されています．APTTはコントロール値の1.5〜2.5倍の範囲にコントロールすることが推奨されます．

悩ましいのがNOACsの評価です．ダビガトランはAPTT，リバーロキサバンはPTで評価し，アピキサバンはPTにもAPTTにも影響しないとされています．リバーロキサバンとアピキサバンは同じXa阻害薬なのになぜこのような違いが出るのかは今のところ説明できませんし，上の表とも整合性がとれません．

線溶療法

血液を溶かすシステムを，線溶系といいます（図6）．線溶には一般的な「一次線溶」と特殊な「二次線溶」があります．二次線溶では，フィブリン架橋がプラスミンによって，フィブリン分解産物となります．一次線溶は，凝固が起こる前にフィブリノーゲンの段階でプラスミンが作用し，フィブリノーゲン分解産物となります．フィブリン分解産物とフィブリノーゲン分解産物を合わせて，フィブリン/フィブリノーゲン分解産物（FDP）と呼び，一次線溶と二次線溶の両方の結果を反映します．Dダイマーはフィブリン分解産物の一部で，二次線溶を特異的に反映します．

プラスミンは，不活性型のプラスミノーゲンとして肝臓でつくられます．プラスミノーゲンは，プラスミノーゲン活性化因子によって活性型のプラスミンへと変換され，線溶を引き起こします．生体には，この線溶系が過剰に働き大量出血を起こさないための抑制システムが2つ存在します．1つはプラスミノーゲン活性化因子抑制因子（PAI）で，プラスミノーゲン活性化因子と複合体をつくることによってこれを不活性型にします．もう1つは α_2-プラスミン阻害因子（α_2-PI）で，プラスミンと複合体を形成することでこれを不活性型にします．

線溶系を誘導する治療法として，プラスミノーゲン活性化因子が用いられます．以前は尿から単離されたウロキナーゼと呼ばれるプラスミノーゲン活性化因子が使われていました．ウロキナーゼは，フィブリンに対する親和性が低いので，循環血液中でプラスミノーゲンをプラスミンにしま

MEMO

- ワルファリン ⇒ PT-INR（若年者2〜3，高齢者1.6〜2.6）
- ヘパリン ⇒ APTT（1.5〜2.5倍）
- ダビガトラン ⇒ APTT
- リバーロキサバン ⇒ PT-INR
- アピキサバン ⇒ 今のところ評価法なし

MEMO

凝固亢進を示す検査
- FDP ⇒ 一次線溶と二次線溶の両者
- Dダイマー ⇒ 二次線溶特異的

MEMO

プラスミノーゲン活性化因子
- ウロキナーゼ ⇒ フィブリン低親和性で，循環血中で作用．大量投与が必要
- ヒトリコンビナント組織型プラスミノーゲン活性化因子（ヒトリコンビナント tPA）⇒ フィブリン高親和性で，血栓部位で作用．低用量でOK
- 変異型ヒトリコンビナント組織型プラスミノーゲン活性化因子 ⇒ 半減期が長く，ワンショット静注が可能

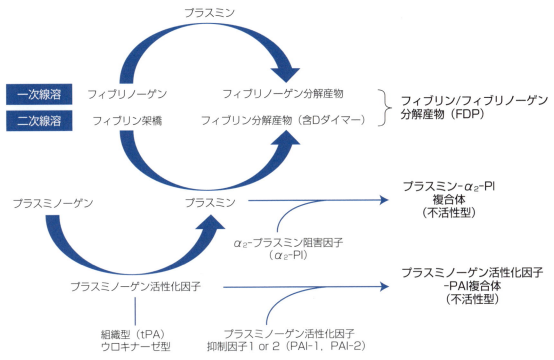

図6　線溶系

す．循環血液中でできたプラスミンは，$α_2$-プラスミン阻害因子の影響を受けるので，血栓部位で有効な線溶を得るためには大量のウロキナーゼを投与する必要があり，血栓部位以外での出血性副作用が大きな問題でした．その後，ヒトリコンビナント組織型プラスミノーゲン活性化因子（tPA）（アルテプラーゼ［アクチバシン®，グルトパ®］），引き続き半減期の長い変異型の tPA，モンテプラーゼ（クリアクター®），パミテプラーゼ（ソリナーゼ®）が開発されました．tPA はフィブリンに対する親和性が高いので，主に血栓形成部位で働きます．このため，少量で済むこと，血栓部位だけで作用することから，出血性の副作用が大幅に改善されました．

Column：「先生，どこにもぶつけた覚えがないのに内出血しました」

　外来で，抗血小板薬や抗凝固薬を処方していると，患者さんから「先生，どこにもぶつけた覚えがないのに内出血しました」といわれることがしばしばあります．これはなぜなのでしょう？　関連する検査から考えてみましょう．播種性血管内凝固（DIC），深部静脈血栓症，肺血栓塞栓症などでは凝固亢進が起こっています．そこで，これらの鑑別のために，凝固亢進そのものでなく凝固亢進の結果として現れる線溶の亢進が調べられます．以前は FDP が測定されていましたが，今では D ダイマーを直接調べることができるようになりました．二次線溶を直接反映するので，D ダイマーを調べることが一般的となっています．
　この FDP や D ダイマーの基準値は 0 となっていません．これは，身体の中では僅かですが日常的に出血・凝固・線溶が起こっていることを意味します．そこで，凝固系を抑制するとぶつけてもいないのに，日常的に起きている出血によって内出血が起こるのです．

3 血栓症の治療

心房細動の心原性脳塞栓予防

心房細動患者では，無治療の場合 5％/年の頻度で心原性脳塞栓が合併するといわれています．ワルファリンで 70％（心原性脳塞栓 5％/年 ⇒ 1.5％/年），NOACs で 80％（心原性脳塞栓 5％/年 ⇒ 1％/年），心原性脳塞栓の発症を減らすことできます．ただし，抗凝固療法を行うと出血性副作用のリスクは間違いなく上がります．そこで，心房細動患者の心原性脳塞栓のリスク軽減と出血性副作用のリスク増加を比較して，心原性脳塞栓のリスク軽減が上回ると判断された場合に，抗凝固療法を行うことになります．

■脳梗塞のリスク軽減の目安：$CHADS_2$・CHA_2DS_2-VASc

脳梗塞のリスク軽減を見積もるためには，$CHADS_2$ あるいは CHA_2DS_2-VASc と呼ばれるスコアが用いられます（表3）．

$CHADS_2$ では，各スコアでの心原性脳塞栓のリスクに関する報告があります（図7）．大雑把な見方をすると，$CHADS_2$ スコアの約2倍の脳梗塞年間発生率（$CHADS_2$ 2 だと 4％/年）があるとされています．この脳梗塞年間発生率のワルファリンだと 70％，NOACs だと 80％が脳梗塞のリスク軽減率となります．例えば，$CHADS_2$ スコア 4 の人だと，ワルファリン

表3 $CHADS_2$ と CHA_2DS_2-VASc

	$CHADS_2$	CHA_2DS_2-VASc
C：congestive heart failure（心不全）	1	1
H：hypertension（高血圧）	1	1
A：age（年齢 75 歳以上）	1	2
D：diabetes mellitus（糖尿病）	1	1
S：stroke（脳卒中）	2	2
V：vascular diseases（血管疾患）	—	1
A：age（年齢 65〜74 歳）	—	1
S：sex female（女性）	—	1
合計スコア	6	9

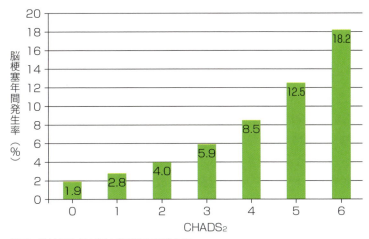

図7 CHADS₂スコアと脳梗塞年間発生率

で8.5×0.7＝6％，NOACsだと8.5×0.8＝6.8％がリスク軽減率です．

出血性副作用リスクの目安：HAS-BLED

出血性副作用リスクの目安には，HAS-BLEDスコアが用いられます（表4）．スコアによって下記の3群に分類されます：
- 低リスク：スコア0（年間の大出血発症リスク1％前後）
- 中等度リスク：スコア1～2（年間の大出血発症リスク2～4％前後）
- 高リスク：スコア3（年間の大出血発症リスク4～6％前後）

　脳梗塞年間発症頻度の軽減率と年間大出血発症頻度を比べて，抗凝固療法を行うか否かを決定することになります．ただし，なかなか両者を正確に算定することが難しいことから，実臨床では簡易版としてCHADS₂スコアだけで抗凝固療法の適応を決定することが多いようです．CHADS₂スコアが0のときは適応なし，2以上のときは適応あり，1のときはケースバイケースで判断しています．

> **MEMO**
>
> 抗凝固療法の適応
> ・CHADS₂ 0点
> 　　　　⇒ 非適応
> ・CHADS₂ 1点
> 　　　　⇒ 相対的適応
> ・CHADS₂ 2点以上
> 　　　　⇒ 絶対的適応

表4 HAS-BLEDスコア

	スコア
H：hypertension（高血圧）	1
A：abnormal renal/liver function（腎・肝機能異常 各1点）	1 or 2
S：stroke（脳卒中）	1
B：bleeding（出血既往・出血傾向）	1
L：labile（INR不安定）	1
E：elderly（年齢65歳以上）	1
D：drug/alcohol（抗血小板薬/NSAIDs あるいはアルコール依存 各1点）	1 or 2
合計スコア	9

急性心筋梗塞の治療

　急性心筋梗塞患者が来ると，ゴールデンタイムの6時間以内であればtPAによる血栓溶解療法を行うことがあります．一時はこれが急性心筋梗塞治療のトレンドでした．今では，血栓溶解療法を行うのは，経カテーテル冠動脈形成術（PCI）ができない施設でPCIができる施設に患者搬送ができない場合，など限定的となっているようです．つまり，最近のトレンドは，急性心筋梗塞の患者が来ると，経カテーテル冠動脈形成術（PCI）ができる場合はPCI担当医に連絡し，酸素投与，血管確保，収縮期血圧が100mmHg以上のときはニトログリセリン投与，アスピリン・プラビックス®投与などの一般的処置を施してPCI担当医の到着を待つというものです．アスピリンは効果を速めるために，患者にかみ砕いてもらいます．胸痛に対する対応が必要なときはモルヒネを使います．

　最近では，PCIの前にtPAによる血栓溶解療法を行うfacilitated PCIという方法をとる施設もあります．facilitated PCIの是非は専門医でも意見が分かれるところで，現場の医師からは穿刺部位の止血で苦労するから否定的な意見も聞こえてきます．tPAは，以前は半減期が短いため静注後持続投与を行っていましたが，最近では半減期の長いリコンビナントのモンテプラーゼ（クリアクター®），パミテプラーゼ（ソリナーゼ®）が開発され，ワンショットの静注だけで済むようになりました．

肺血栓塞栓症の治療

■肺血栓塞栓症ってどんな病気？

　急性心筋梗塞でtPAを使うことが減ってきて，循環器領域でtPAが使

Column：抗凝固薬による大出血は医師にとってのPTSD

　以前は，「ワルファリン＝怖い薬，使いづらい薬」とのイメージがあり，専門医でないと処方する医師は少なかったように記憶しています．少なくとも，開業医はほとんど処方していなかったのではないでしょうか？　最近は，ガイドラインが確立し患者にも情報が浸透しており，日常茶飯事で処方される薬になっています．

　欧米，および日本でガイドラインが発表されたときに，たまたまガイドライン作成にかかわった先生に個別にお話をお伺いする機会がありました．興味深いことに，お2人ともガイドライン通りに処方はしていませんということでした．理由もよく似ており，「抗凝固薬で△%脳梗塞が防げたといっても実感できないけど，ワルファリンで大出血を起こすとものすごいインパクトになる」「心房細動で脳梗塞が起きてもある意味患者さんの病気が原因といえなくもないけど，ワルファリン投与で大出血が起こると自分が原因に思えて大きなトラウマだ」というものでした．とはいえ，今では統計データも十分集積しており，皆さんガイドラインに忠実に治療しているようです．

われるのは肺血栓塞栓症に移り変わりつつあります．肺血栓塞栓症は，肺動脈に血栓が詰まる病気で，この血栓の約 90％が下肢の深部静脈にできます．頻繁に遭遇するケースが術後患者です．最近では，長時間の飛行機搭乗や震災後の避難所生活などでみられる「エコノミー症候群」によるものも増えています．

1. 症　状（表5）

呼吸困難，胸痛が主な症状で，表のような状況に加えてリスク因子とされる肥満，女性，高齢，悪性腫瘍，心不全，糖尿病，経静脈的ペースメーカ，深部静脈血栓症の存在がある場合は，肺血栓塞栓症を疑って検査をしましょう．

2. 検査所見

心電図には特異的な変化はありませんが，右心負荷所見が現れます（表6）．以前は肺血栓塞栓症といえば $S_I Q_{III} T_{III}$ といわれましたが，有名なわりには出現率は低く 12％程度にすぎません．一方，特異性は全くありませんが，心拍数増加はほぼ必発です．血液検査では D ダイマーの上昇がみられます．画像診断では，心エコー（右室拡大），造影肺動脈 CT（肺動脈の閉塞）などが行われます．

表5　肺血栓塞栓症の症状

肺塞栓症による症状	頻度
呼吸困難	73％
胸痛	42％
冷や汗	24％
失神	22％
動悸	21％
咳嗽	11％
血痰	5％
深部静脈血栓症による徴候	頻度
下肢の腫脹	47％
下肢痛	26％
下肢の色調変化	7％

表6　肺血栓塞栓症の心電図所見

心電図所見	頻度
右軸偏位	7％
$S_I Q_{III} T_{III}$	12％
右側胸部誘導（V_1～V_3）の陰性 T 波	42％
右脚ブロックパターン（V_1 の rSR' 波）	15％
左側胸部誘導（V_5, V_6）の深い S 波	7％
心拍数増加	ほぼ 100％

■治療

2008年に出された日本循環器学会のガイドラインでは、肺血栓塞栓症の治療は下記のように記載されています。

- 正常血圧で右心機能障害もない場合は、抗凝固療法が第一選択
- 正常血圧であるが右心機能障害を有する場合は、効果と出血のリスクを慎重に評価して、血栓溶解療法か抗凝固薬を選択
- ショックや低血圧が遷延する場合には、禁忌例を除いて血栓溶解療法が第一選択

1. 抗凝固療法

ヘパリンで治療を開始して、ワルファリンへとスイッチします。ワルファリンをいつまで続けるかは、一定の基準はなく悩むところです。深部静脈血栓症の再発は10年で30%とされていますが、なかなか10年抗凝固療法を継続することは難しいでしょう。少なくとも3ヵ月は続ける必要があるとされています。悪性腫瘍などのリスク因子がある場合は、抗凝固療法を継続するほうがよいと考えられています。

2. 血栓溶解療法

血栓溶解療法は、出血の副作用と、深部静脈血栓が残っている場合はかえって肺血栓塞栓症を誘発するため、ショック状態にある場合などに限って行われます。半減期の長いリコンビナントtPAのモンテプラーゼ（クリアクター®）、パミテプラーゼ（ソリナーゼ®）のワンショット静脈が行われます。

3. 深部静脈血栓に対する治療

深部静脈血栓に対する治療としては、外科的血栓摘除術、カテーテル治療（カテーテル血栓吸引術、カテーテル血栓破砕術）、下肢静脈フィルターなどが行われます。下肢静脈フィルターには、永久留置型フィルターと非永久留置型フィルターがあり、非永久留置型フィルターには、留置されたフィルターまで体外から細いシャフトがつながっており、フィルター

Column：医療分野でも活躍する「折り紙理論」がすごい！

日本人なら、折り紙をしたことがない人はいないのではないでしょうか？　最近、折り紙の折り方をコンピューターで解析し、その原理を数学に落とし込んだ「折り紙理論」というものができています。これによって折り紙でさまざまな形がつくれるようになり、某自動車会社のCMなどでもみかけますね。

この折り紙理論で大きなものをコンパクトにまとめることが可能となり、生活のさまざまなところで活用されています。例えば、車のエアバッグの折りたたみやスペースシャトルでハッブル望遠鏡を宇宙に運ぶのにも、折り紙理論が使われています。実は医療、特に循環器分野での活躍も目覚ましいものがあります。オックスフォード大学の栗林博士は、ステントを冠動脈の病変部位に運ぶまで小さくまとめておくために使っています。上記のフィルターを留置部位に運ぶのにも使われる日も近いかもしれません。

の役目が終わるとシャフトを使ってフィルターを取り出す「一時留置型フィルター」と一度静脈に留置したフィルターを後日折りたたんで回収できる「回収可能型フィルター」があります.

閉塞性動脈硬化症の治療

閉塞性動脈硬化症は,末梢動脈の動脈硬化により起こる循環障害で,下肢に起こることがほとんどで,糖尿病・高血圧・脂質異常・喫煙・肥満・男性が危険因子です.症状は間欠性跛行,進行すると持続性疼痛が起こります.閉塞性動脈硬化症を疑った場合は,足背動脈の触知をするようにしましょう.検査では,脈波検査(ABI/PWV),超音波検査,CT,MRIなどが行われます.ABIは1未満,しばしば0.5未満まで低下します.重症度分類にはFontaine分類が用いられます.

- Fontaine I度:下肢の冷感や色調変化
- Fontaine II度:間欠性跛行(数十〜数百メートル歩くと痛みのため歩行継続不可能となる症状)
- Fontaine III度:安静時疼痛
- Fontaine IV度:下肢の壊死,皮膚潰瘍

Fontaine I・II度の場合は薬物療法が行われます.動脈の血栓なので,アスピリン,クロピドグレル(プラビックス®),PDE阻害薬(プレタール®)などの抗血小板薬が使われます.これらが無効の場合は,プロスタサイクリン誘導体のベラプロスト(ドルナー®,プロサイリン®),セロトニン受容体遮断薬のサルポグレラート(アンプラーグ®)などが用いられることもあります.Fontaine III度以上は,外科的あるいは経皮的血管形成術などの観血的手技が行われます.

知っておきたい用語

・Fontaine分類

薬剤選択のヒント

■アスピリン vs クロピドグレル

抗血小板薬で主に使われるのが,アスピリンとクロピドグレルです.費用対効果などの関係から,アスピリンを第一選択とすることが多いようですが,消化性潰瘍の既往のある患者,アスピリン喘息のある患者などではクロピドグレルを第一選択とすることがあります.ステント留置後は,アスピリンとクロピドグレルを約1年間併用しますが,急性冠症候群ではアスピリンとクロピドグレル併用を推奨するエビデンスはまだ得られていないようです.

■ワーファリン® vs NOACs

心房細動患者の脳梗塞予防にワーファリン®を使うかNOACsを使うか,

表7 ワーファリン®と各種NOACsとの比較

	ワーファリン 3mg	ダビガトラン 110mg×2	ダビガトラン 150mg×2	リバーロキサバン 15mg×1	アピキサバン 5mg×2	エドキサバン 30mg×1	エドキサバン 60mg×1
効果の速さ	遅い	速い	速い	速い	速い	速い	速い
効果の持続	長い	短い	短い	短い	短い	短い	短い
食事制限	納豆・青汁・クロレラ・モロヘイヤ	なし	なし	なし	なし	なし	なし
薬物制限	多い	少ない	少ない	少ない	少ない	少ない	少ない
薬価（3割負担/月）	約260円	約4,310円	約4,910円	約4,910円	約4,910円	約6,733円	約6,823円
脳梗塞（ワーファリン比較）		⇔	↓	⇔	↓	⇔	⇔
大出血（ワーファリン比較）		↓	⇔	⇔	↓	↓	↓
脳出血（ワーファリン比較）		↓	↓	↓	↓	↓	↓

NOACsを使うならどのNOACsを使うのかは，今盛んに議論されているテーマです．それぞれに食事制限，薬価など一長一短があり，単純に答えが出せない問題です．表7を患者に提示して，話し合いながら決めているのが現状です．原則としているのが，ワーファリン®でPT-INRが良好にコントロールされている場合はワーファリン®を選択し，ワーファリン®でPT-INRが不安定な場合はNOACsを選択するようにします．

index

あ

アスピリン　121
アスピリンジレンマ　121
アスピリン喘息　122
圧受容体　8
圧受容体反射　8
アテローム性プラーク　59, 62
アドレナリン　13
アルドステロン拮抗薬　18, 46, 47
アンジオテンシンⅡ　6
アンジオテンシン変換酵素　6

い

イオンチャネル　83
異常自動能　88
一次線溶　126
一酸化窒素（nitric oxide：NO）　61

う

ヴォーン・ウィリアムズ分類　94

え

エコノミー症候群　131

か

外因系　115
カイロミクロン　68
カイロミクロンサイクル　68
拡張期血圧　37
活性化部分トロンボプラスチン時間（APTT）　125
活動電位　83
カテコールアミン　12
カルベジロール　23
カルペプチド（ハンプ®）　25
冠血流予備能（coronary flow reserve：CFR）　60
冠血流量　59

き

機能不全 HDL（dysfunctional HDL）　75
逆ジッパー型　54
急性冠症候群　120
凝固系　115
強心配糖体　10, 11
共通系　115

く

クリニカル・シナリオ（CS）　29

け

経カテーテル冠動脈形成術（PCI）　130
血管抵抗　39
血管不全　29
血管ポンプ　38
血小板血栓　117

こ

交感神経系　6, 8
後脱分極　89
抗利尿ホルモン（バゾプレッシン）　8
国際標準比 PT-INR　126

135

コレステロール逆輸送　70

さ

サイアザイド　17
サイアザイド系利尿薬　46
再分極　83
細胞性凝固反応　116
左室拡張末期圧　5
酸素供給　59
酸素需要　59

し

ジギタリス　10, 11, 12
ジギタリス中毒　12, 89
シクロオキシゲナーゼ（COX）　121
刺激伝導系　84
ジッパー型　54
ジヒドロピリジン誘導体　41
収縮期血圧　37
硝酸薬　25, 64
小腸コレステロールトランスポーターNPC1L1
　　73
食塩感受性　46
新経口抗凝固薬（New Oral Anti-Coagulants：
　　NOACs）　124
心係数　28
心房細動　99
心房粗動　99, 107
心房頻拍　98

す

スタチン　71
スワン・ガンツカテーテル　28

せ

赤色血栓　117

線溶　126

そ

早期後脱分極（early after-depolarization：EAD）
　　89

た

脱分極　83
弾性血管　37

ち

遅延後脱分極（delayed after-depolarization：
　　DAD）　89
腸管循環　68
直接経口抗凝固薬（Direct Oral Anti-Coagulants：
　　DOACs）　124
直接レニン阻害薬　21

て

抵抗血管（筋性血管）　37

と

洞頻拍　98
動脈コンプライアンス　38
ドパミン　13
ドブタミン　13
トリガード・アクティビティ　88, 89
トリグリセリド　77
トルサード・ド・ポアンツ　95

な

内因系　115
ナトリウム（Na）利尿ホルモン　8

に

二次線溶　126
ニトロ耐性　66

の

ノルアドレナリン　13
ノンジッパー型　54

は

肺血栓塞栓症　130
肺水腫　29
肺動脈楔入圧　28
白色血栓　117
バゾプレッシン V_2 受容体拮抗薬　18, 19

ひ

ヒス-プルキンエ系　85

ふ

不安定プラーク　62
フィブリン血栓　117
プラーク破綻　62
フランク・スターリング曲線　5
フランク・スターリングの法則　5
プロトロンビン時間（PT）　125
分極　83

へ

閉塞性動脈硬化症　133

ほ

傍糸球体装置（juxta-glomerular apparatus）　7

ま

房室回帰性頻拍　99
房室リエントリー性頻拍　99
ホスホジエステラーゼ　14
ホスホジエステラーゼ阻害薬　14

ま

マクロファージが泡沫化　62
慢性腎疾患（Chronic Kidney Disease：CKD）　20

み

脈圧　37

も

モーニングサージ　54

り

リエントリー　88, 89
リズムコントロール　104
利尿薬　15, 32

る

ループ利尿薬　16, 46

れ

レートコントロール　106
レニン　6
レニン・アンジオテンシン・アルドステロン系　6

わ

ワルファリン　124

A

ACE-1　32
ACE 阻害薬　20, 45
AHA/ACC Stage 分類　30
ANP　9, 25
ARB　21, 32, 45
AT-1 受容体　6

B

BNP　9

C

Ca 拮抗薬　41, 64
Ca チャネル　83
CAST (Cardiac Arrhythmia Suppression Trial)　94
CHA_2DS_2-VASc　128
$CHADS_2$　128

F

Fontaine 分類　133
Forrester 分類　28

H

HAS-BLED スコア　129
HDL　68
HDL サイクル　70

K

K チャネル　83

L

LDL　68
LDL サイクル　69

N

Na チャネル　83
Na 利尿ホルモン　9
Na/Ca 交換体　11
Na/K ポンプ　11, 12
narrow QRS　98
NYHA (New York Heart Association) 分類　30

Q

QT 延長症候群　89

W

wide QRS　98

ギリシア文字

α 受容体　12
β 受容体　12
β ブロッカー　22, 32, 64

● 著者略歴
古川　哲史（ふるかわ・てつし）
東京医科歯科大学 難治疾患研究所 生体情報薬理学　教授

1984年3月　東京医科歯科大学医学部卒業．
1989年4月　米国マイアミ大学医学部循環器内科リサーチ助教授．
1991年4月　日本学術振興会特別研究員．
1994年4月　東京医科歯科大学難治疾患研究所助手．
1999年4月　秋田大学医学部生理学講座助教授．
2003年4月より現職．
2018年4月　東京医科歯科大学副理事（研究）．
2020年4月　東京医科歯科大学副理事・副学長(改革推進・広報・(兼)教教分離)．
1992年，日本心臓財団研究奨励賞，
1997年，日本心電学会学術奨励賞最優秀賞を受賞．
著書に「目からウロコの心電図」（ライフメディコム），「そうだったのか！ 臨床に役立つ循環薬理学」「そうだったのか！ 臨床に役立つ心血管ゲノム医学」「そうだったのか！ 臨床に役立つ心臓の発生・再生」（ともにメディカル・サイエンス・インターナショナル），「誰も教えてくれなかった循環器薬の選び方と使い分け―薬理学的な裏付けもわかる本―」（総合医学社）など．

病態生理の基礎知識から学べる
循環器治療薬パーフェクトガイド（第2版）

2016年1月21日発行　　　　　第1版第1刷
2020年9月30日発行　　　　　第2版第1刷　Ⓒ

著　者　古川哲史
発行者　渡辺嘉之
発行所　株式会社　総合医学社
　　　　〒101-0061　東京都千代田区神田三崎町 1-1-4
　　　　電話 03-3219-2920　FAX 03-3219-0410
　　　　URL：http://www.sogo-igaku.co.jp

Printed in Japan　　　　　　　　　　　　シナノ印刷株式会社
ISBN978-4-88378-711-1

・本書に掲載する著作物の複製権・翻訳権・上映権・譲渡権・公衆送信権（送信可能化権を含む）は株式会社総合医学社が保有します．

JCOPY ＜(社)出版者著作権管理機構 委託出版物＞
本書を無断で複製する行為（コピー，スキャン，デジタルデータ化など）は，「私的使用のための複製」など著作権法上の限られた例外を除き禁じられています．大学，病院，企業などにおいて，業務上使用する目的（診療，研究活動を含む）で上記の行為を行うことは，その使用範囲が内部的であっても，私的利用には該当せず，違法です．また私的使用に該当する場合であっても，代行業者等の第三者に依頼して上記の行為を行うことは違法となります．複写される場合は，そのつど事前に，JCOPY （社）出版者著作権管理機構（電話 03-5244-5088，FAX 03-5244-5089，e-mail：info@jcopy.or.jp）の許諾を得てください．